ДЕКОМ

Анисим Гиммерверт

МАЙЯ КРИСТАЛИНСКАЯ

песни, друзья и недруги

*«И всё сбылось,
и не сбылось...»*

ДЕКОМ
Нижний Новгород
2013

ББК 85.335.41
Г-46

Серия «**ИМЕНА**»

Основана в 1997 году

Автор проекта и главный редактор серии Я. И. Гройсман

Г-46   АНИСИМ ГИММЕРВЕРТ.
Майя Кристалинская: песни, друзья и недруги.
Документальный роман. Нижний Новгород: ДЕКОМ, 2013. – 224 с.
Художественное оформление – В. В. Петрухин.

Издательство и автор выражают глубокую благодарность Борису – сыну Эдуарда Барклая за и помощь в подготовке и издании книги.

ISBN 978-5-89533-301-3

Майя Кристалинская – легенда советской эстрады. Ее песни продолжают звучать, хотя певицы не стало в 1985 году, выходят ее диски, посвященные ей фильмы и передачи. Однако даже поклонники Кристалинской немногое знают о ней – она была скромна и никогда не афишировала подробностей своей личной жизни.

Историю Майи Кристалинской, ее жизни, нелегкой и во многом трагичной, совсем не похожей на жизнь звезды, рассказывает писатель и журналист, знаток ретроэстрады Анисим Гиммерверт. Его предыдущая книга, посвященная Оскару Строку и выпущенная в свет ДЕКОМом, была тепло встречена читателями и неоднократно переиздавалась.

ББК 85.335.41

ISBN 978-5-89533-301-3

ОТ АВТОРА

Город обжигала жара, нещадно и каждодневно, испаряя последние капли влаги, оставшиеся после многоводной весны; жару нагоняли ветры, именуемые антициклоном, они разрывали в клочья повисшие было над городом облака, и те трусливо уплывали за тридевять земель. В конце дня город тонул в душном вечернем мареве. А назавтра начиналось все то, что было вчера, позавчера, неделю, месяц назад и чему, казалось, не будет конца. Сводки погоды слушали так, как в войну сводки Совинформбюро.

Я сидел в переполненном читальном зале одной из московских библиотек, не замечая жары, потому что усердно перелистывал подшивки старых журналов и газет, где с каждой нужной мне страницы смотрело милое лицо с застывшей улыбкой, с четко обозначенными ямочками на щеках – Майя Кристалинская. Вот анфас, вот в профиль, вот она с пластинками, а вот с друзьями, с любимым пуделем Муром, прическа – ровная стрижка или «бабетта», но особого разнообразия в прическах не было, в костюме – тоже, на черно-белых фотографиях он казался одним и тем же, одного фасона, одного стиля и с одной и той же деталью – косынкой вокруг шеи. О косынке Кристалинской ходили легенды. Этот атрибут одежды оставался всегда и уже никого не удивлял – значит, такой у певицы вкус, имеет же она право на свой «имидж»; но особо любознательные не верили,

Песня спета. Спасибо за ваши овации. Майя счастлива

а пытались узнать истину и, видимо, преуспели в этом – по Москве пополз слух, что у Кристалинской якобы на шее большое темное пятно.

Откуда оно взялось – никто не знал.

Ее лицо мелькало и исчезало среди строк, и отрываться от него, чтобы читать статью дальше, не хотелось. На фотографиях был живой человек – пусть с ним нельзя разговаривать, дотронуться, но он – живой, вот только равнодушный фотообъектив остановил его движение в какой-то момент. А в статьях этого не было – критики, правда, еще могли что-то подметить, могли посоветовать, похвалить и очень редко – поругать, а вот журналисты, не скупясь на превосходную степень, были однообразны, особенно в интервью – одни и те же вопросы, одни и те же ответы. С непременными пожеланиями читателям. Будто существовало где-то предлагаемое журналистам одно клише, вот только названия газет менялись.

Сквозь стекла в окно просачивался зной, а когда через несколько часов я вышел на Страстной, тот жарко дышал перегаром бензина и разогретого асфальта, который становился под ногами отутюженным торфяником.

Впереди темнела арка метро, спасительного в жару и мороз. Я спустился вниз, прошел по платформе и сел на скамью.

И в ту же секунду я услышал тихий женский голос:

– Простите, пожалуйста, вы не подскажете, как проехать к Александровскому саду?

Возле меня стояла девушка, я не сразу взглянул на ее лицо, так, что-то общее – серенький костюмчик, сумка через плечо, в меру коротенькая юбочка, пухлый пакет с белозубой топ-моделью и стеснительность в голосе, свойственная провинциалкам.

– До Александровского сада? Очень просто...

Я взглянул в ее лицо... Наваждение, что ли? Передо мной стояла юная Майя Кристалинская... Десятиклассница...

Ну да, жара, в голове – фантасмагория из газетно-журнальных снимков, вот и привиделось то, что невероятно, померещившееся сходство – продукт воспаленного мозга, одно лицо отпечаталось в голове, и теперь ему подобным могут оказаться и другие лица, если не всматриваться в них.

Но я все же не ошибся. Еще раз взглянув на нее, понял, что невероятное не привиделось, не пришло с небес и я не схожу с ума, как бывает, когда из-за перегрузки наше воображение может выкинуть все, что угодно.

И тут я понял, что копия совсем не похожа на оригинал. Черты совпадали, но вот глаза... Как и у Майи, они были большими, серо-зелеными и так же широко распахнуты, вот только... пустые. Они ни о чем не говорили, а ведь глазами человек может выразить даже больше, чем голосом. И правильно они считаются зеркалом души. Недаром это выражение стало таким расхожим.

Фотографии Кристалинской – это прежде всего ее глаза, а не позы, не красивые повороты головы, анфас или в профиль. На фотографиях улыбаются чаще всего губами. «Внимание, сейчас вылетит птичка, смотрите на меня, улыбочку!» – весело требовали когда-то фотографы. И улыбки мгновенно озаряли губы. Но только – губы.

Кристалинская, если улыбалась, всегда улыбалась глазами. Она могла быть серьезно-молчаливой – и серьезность отражалась в ее глазах. Могла быть печальной – и такими же становились глаза. А когда губы растягивались в широкую улыбку, в глазах появлялась легкая игривость и немного кокетства.

Проницательные критики, знатоки эстрады, видавшие на своем веку немало эффектных див, знавшие наизусть их многочисленные маленькие хитрости, сулившие успех, терялись, когда писали о Кристалинской, отчего и бывали скупы на строки, в которых острые наблюдения соседствовали бы с информацией к размышлению. Чего там писать, все же просто: да, хорошо поет, проникновенно поет, а голоса все равно нет, и жеста нет, прилипла к микрофону, а в него можно такое нашептать!

И не каждый давал себе труд задуматься: откуда же тогда такой шквальный успех, такая неподдельная любовь к этой бывшей студентке технического вуза, на концертах которой залы взрывались овацией, будто в руках у нее волшебная палочка, которой она заколдовала зал?

А правильнее сказать – околдовала, потому что взрывался он не аплодисментами, а овацией: слушателя не проведешь, маленькие хитрости способны вызвать аплодисменты, и это уже успех, но естественность и чистота рождают искренность, а искренность – единение зала, вот вам и истоки «волшебства» Кристалинской.

У Кристалинской было много поклонников и более всего поклонниц, ведь поклоняться звезде – удел более эмоциональной прекрасной половины. Все зависит от того, насколько женщина на сцене трогает именно женские сердца, умеет затронуть своей, подчас невеселой, песней чуткие струны женских судеб.

Делала ли она себя? Нет, конечно. Зачем? Все имевшееся в ней дала природа, всевидящий Бог, который таланты раздает не столь уж щедро, но если уж на ком-нибудь остановится, то награждает щедро. Потрясающая – суперпрофессиональная! – музыкальность певицы, никогда не учившейся ни музыке, ни пению, не знавшей даже нотной грамоты, но никогда «мимо нот» не певшей. Песню, только что предложенную композитором – и не в виде листочков с клавиром, а наигранную на рояле и спетую стертым авторским голосом, могла Кристалинская тут же, без подсказки, воспроизвести, да так, что ошеломленный сочинитель считал, что создал нечто замечательное, шедевр, уже готовый к записи.

Но ничего этого не знали залы, и тысячи влюбленных в нее людей встречали певицу громовой овацией, еще не видя Кристалинской, а только услышав, что сейчас она будет петь, вот-вот выйдет, и все счастливо напрягались – ну, скорее выходи, Майя!

И она не торопясь, скромно, даже стеснительно появляется на сцене, и зал гремит, зал вот-вот встанет, и она улыбнется так, как могла улыбаться лишь Кристалинская. Ее тихая приветливость только подстегнет зал, и он будет греметь до тех пор, пока она не возьмет микрофон – и не скажет несколько первых слов...

Материалом для книги послужили примерно пять десятков встреч с людьми, знавшими Майю и имевшими непосредственное отношение к ее жизни и судьбе.

В книге не могло не отразиться время, в котором жила Кристалинская, она была его дитя – и его заложница. Это время проходило и на глазах автора; вполне возможно, что какие-то оценки не совпадут с восприятием тех читателей, что знают о нем не понаслышке. Но, надеюсь, они меня не осудят.

Глава первая

ЗДРАВСТВУЙ, СТОЛИЦА МОСКВА!

1. Знаменитый дом знаменитостей

Столичная Тверская ныне более других улиц Москвы пестрит опознавательными знаками новой эпохи. Улица Горького ушла в историю, вернув долг «потонувшей» было Тверской, – каждая новая формация устроена так, что предыдущая, канувшая в Лету, все же напоминает о себе: в городах – прежде всего зданиями, переданными по наследству другому времени. Так, послереволюционной Москве досталось все, чем богат был город до октябрьского переворота: дворянские и купеческие особняки. В двадцатых начала строиться «социалистическая» Москва, и появились дома эпохи конструктивизма, а за ними безликие коробки. Эта смесь вошла теперь в XXI век, наделив ту же Тверскую новыми гигантами, прилизав старые, вычистив их, придав им европейский вид. Замелькали в стеклах парящиеся в пробках иномарки и старенькие «Жигули», таблички с названиями улиц, на которые когда-то глазели приезжающие в Москву крестьянские дети с котомками, купцы в поддевках, барышни, сидящие в возках, и чиновный люд на рысаках. Вокруг Тверской появились вновь забытые уже названия переулков: Старопименовский, Брюсов, Камергерский, а неподалеку от теперь уже официально названного, как раньше, «Елисеевского» – Глинищевский. В Москве середины двадцатого века этот переулок стал улицей, и присвоено ей было имя Немировича-Данченко, выдающегося сподвижника великого Станиславского. Он не только жил здесь несколько лет, но и внес большой вклад в его внешний вид.

Если пройти по Тверской, затем свернуть в Глинищевский и пройти несколько сот метров, то слева перед вами развернется дом-громадина в несколько подъездов. Дом – неприступная крепость с огромной аркой, откуда может выйти целый полк сразу, но куда войти было дано далеко не каждому смертному, судя по мемориальным доскам, по количеству

Дом № 5/7 по Глинищевскому переулку

которых он уступает разве что «Дому на набережной»; жили здесь народные артисты СССР, лауреаты, депутаты и прочие известные в Стране Советов люди:

Алла Тарасова, Иван Москвин, Борис Смирнов, Ольга Книппер-Чехова, Михаил Кедров... Это МХАТ. А еще – Вера Марецкая, Иосиф Туманов, Сергей Юткевич. Здесь много лет жили Любовь Орлова и Григорий Александров. Первая доска была установлена в середине сороковых – и на ней имя самого «главного» жителя этого дома Владимира Ивановича Немировича-Данченко.

В домовых книгах можно прочесть и фамилию, которая, казалось бы, к театральному дому иметь отношение не должна, – Кристалинская. Нет, ни Майя Владимировна Кристалинская, ни ее отец, мать или сестра здесь никогда не жили. Владимир Иванович Немирович-Данченко в свое время выбрал этот дом не только потому, что он был красив и удобен. Налево, за углом Глинищевского, находится длинное с будто нарисованными на фасаде колоннами здание музыкального театра, где всеми почитаемый режиссер, переехавший по соседству в Глинищевский, был богом. Вот с музыкальным театром и связана была жизнь не только Немировича-Данченко, но еще одной квартиры в доме № 5/7. Среди ее обитателей и была миловидная дама с фамилией Кристалинская. Дама – потому что женщин этого дома гражданками или товарищами называть было неудобно. Она не была коренной москвичкой и приехала в Москву из крупного города на Волге, который недавно стал называться Куйбышевом.

2. Тетя Лиля из Самары

Летом из раскрытых окон одного из самарских особняков на Николаевской улице можно часто было услышать доносившуюся музыку или мелодию популярных романсов: «Отцвели уж давно хризантемы в саду…» или «Уж только вечер затеплится синий…» Прохожие останавливаются, слушают, аплодируют. Некоторые приходят специально, зная, что в этом доме живет с семьей известный самарский аптекарь, меломан и меценат Илья Семенович Кристалинский с женой и пятью одаренными дочерьми.

После октябрьского переворота, лишившись в одночасье и аптеки, и всего нажитого имущества, осознав, что скоро придет и его черед отправляться в самарскую тюрьму, Илья Семенович, посадив свое семейство на поезд Самара – Москва, отбыл в новоявленную столицу.

Пять девочек в его семье росли теперь не в особняке, а в двух комнатках коммунальной квартиры в полуподвале на Домниковке; что ж, и это кому-то из «бывших» могло теперь показаться роскошью.

Нетрудно догадаться, что одна из них, Лиля, волею судьбы и оказалась в театральном доме в Глинищевском.

После школы она поступила в ЦЕТЕТИС – Центральный техникум театрального искусства, на музыкальное отделение. Лиля считала, что в актрисы драматического театра она совершенно не годится и незачем ломать свою музыкальную природу. Голос у нее есть, хотя и небольшой, но приятный, и совсем необязательно петь главные партии, вторые или третьи тоже хороши. У будущих героинь Лили тоже будут арии, дуэты и даже сцены, и без аплодисментов она не останется.

Итак, в жизни Лили начался долгий период везения.

Во-первых, одним из ее педагогов по актерскому мастерству была Серафима Бирман, актриса Художественного театра, которую сам Станиславский стерег от поползновений других театров, спешивших переманить к себе этот артистический бриллиант, что ему с трудом удавалось. По оперной части Лилю обучал Леонид Баратов, знавший музыкальный театр так, как его в те годы не знал никто. Техникум стал для него вроде плаца, где он муштровал будущее воинство для грядущих оперно-театральных сражений.

А во-вторых (скорее всего, во-первых), в техникуме она познакомилась с Павликом Гольдбергом, не только будущим режиссером, но и будущим мужем. Павлик взял себе звучный псевдоним Златогоров, ставший в конце концов его фамилией, которая тридцать лет не сходила с афиш Музыкального театра имени Станиславского и Немировича-Данченко, где после окончания ЦЕТЕТИСа пела и его жена Лиля Кристалинская. В партиях второго плана были и арии, и дуэты, и сцены, и Лиля легко срывала аплодисменты, ей даже подносили цветы (вот аплодисментов и цветов из двух Кристалинских намного больше все же досталось младшей, Майе, чему тетя Лиля никогда не завидовала, а, наоборот, только радовалась за свою Майечку).

Вот так в доме № 5/7 по Глинищевекому переулку, мощным видом своим говорившем о незыблемости и величии советского театрального искусства, появилась в конце тридцатых годов вместе с мхатовскими звездами никому не известная молодая чета Златогоровых.

В тридцатых годах об этом можно было только мечтать. В новую квартиру Паша Златогоров и Лилия Кристалинская въехали одними из первых в доме. Паша стал главным помощником Владимира Ивановича Немировича-Данченко, инициатора строительства дома. Постепенно квартира обретала уют, а вместе с ней – многочисленных гостей, отдающих должное этому уюту, любивших посидеть за длинным, широким столом до позднего вечера, а то и до ночи, когда на Пушкинской переставал шуршать троллейбус; в Москве еще не было нынешних «спальных» районов, гости все жили неподалеку и служили одной музе – Мельпомене. Одно из пристанищ богини было за углом, и после окончания спектакля друзья, сняв грим, шли к Златогоровым на чашку чая и рюмку водки – без нее актеру, оставившему эмоции на сцене, никак не обойтись, – а уж потом, вдоволь насытившись пересудами, анекдотами и байками, потихоньку расползлись но Москве, награждая комплиментами и благодарностью за вкуснейший ужин любезную хозяйку.

Хозяин же дома, приглашенный Владимиром Ивановичем в свой театр сначала очередным режиссером, быстро пошел в гору: он участвовал в постановках «Корневильских колоколов» и «Периколы», спектакли эти оказались долгожителями, делали честь театру и давали полные сборы. Имя Златогорова часто появлялось на афишах премьер – чего стоит один только оперный «бестселлер» «В бурю». Златогоров стал заслуженным, а это звание в те годы получить было, пожалуй, сложнее, чем в конце восьмидесятых – народного артиста СССР.

3. Его судьба — головоломка

В длинном коридоре издательства «Правда» часто появлялся невысокий, уже немолодой человек в очках с толстыми стеклами; как всегда, он шел медленно, даже не шел, а скорее продвигался, в руках был старый кожаный портфель, в очках блестели толстые стекла, какие обычно бывают у плохо видящих людей. Иногда кто-нибудь его сопровождал, чаще всего это была женщина одних с ним лет и одного роста, и он говорил ей тихо, подойдя к одной из многочисленных дверей с табличками, выходящих в коридор: «Валя, нам сюда».

Он и впрямь был почти слепым. Но все же что-то видел, ровно настолько, чтобы ходить без палочки и чаще всего без поводыря, и, приходя один, безошибочно останавливался у нужной двери. Это была одна из комнат редакции газеты «Пионерская правда», или попросту – «Пионерки», Здесь его ждали, а когда он входил, усаживали за какой-нибудь свободный стол, наливали чаю в граненый стакан или кружку. А он доставал из портфеля листки с аккуратно нарисованными кружками, квадратиками, цифрами или незатейливыми рисунками, сделанными несколькими штрихами; внизу на каждом листке была подпись: «Автор – Владимир Кристалинский».

Владимир Григорьевич Кристалинский был человеком застенчивым, улыбчивым, говорил негромко, но живо и просто, без всякого желания произвести впечатление – чем интеллигентней человек, тем скромнее он держится, а интеллигентность угадывалась в нем с первого же слова, с первого взгляда; такие люди, как он, сами того не замечая, да и не желая, производят сильное впечатление, от них ожидают чего-то интересного и необычного, а тут еще человек-то почти незрячий, и приносит не что иное, как... головоломки! С первого же его прихода в редакцию оказалось, что на них он большой мастер: попробуйте придумайте сами хоть одну – не выйдет, на это особый талант нужен, а он приносит не одну-две головоломки или загадки в рисунках, а десяток – пожалуйста, выбирайте, сколько нужно, мне кажется, ребятам это будет интересно. Я их вот дочке показывал, Майе, она их решила, и, представьте, не сразу, хотя девочка она сообразительная. Это было как разрешение к печати: Майя одобрила.

О Майе он всегда говорил с большой нежностью, свойственной далеко не всем отцам, любовь к ней так и сквозила в этих словах, и редакционные дамы, слушая его, не прятали улыбок.

Головоломки Кристалинского ложились на свежую полосу. Без преувеличения, их решала вся страна, точнее, вся детская ее часть, выписывающая «Пионерку» или штудирующая ее в школе, когда в семье не находилось денег на подписку. И если в номере придумки Кристалинского отсутствовали, читатели были разочарованы. Где еще было взять эти увлекательные упражнения для гимнастики ума, эти интересные задачки детям сороковых и пятидесятых годов, как не в «Пионерской правде»?

Прошло много лет, и однажды в «Пионерке» появился молодой солдат, возвращавшийся из армии через Москву в родное село где-то в глубинке; пришел, как приходят обычно благодарные читатели, чтобы лично, а не в письме, которые, как утверждает молва, гуляющая по городам и весям, в редакциях бросают нераспечатанными в мусорный ящик (навет!), и молодой человек этот с искренностью, свойственной нашим дорогим провинциалам, говорил журналистам «Пионерки» самые добрые слова по поводу их детища и особенно благодарил автора раздела «Головоломки» Владимира Кристалинского. Из редакции незамедлительно последовал звонок Владимиру Григорьевичу. И на следующий день Кристалинский, человек отзывчивый и не менее, чем молодой читатель, благодарный, принес в редакцию в подарок ему пластинку, напетую его дочерью. Пластинки Майи уже относились тогда к числу дефицитных.

«Сочинение» головоломок и было профессией Владимира Григорьевича Кристалинского. Вообще таких профессий не бывает, а вот у него – была. Как ее можно назвать? «Головоломщик». Но у Владимира Григорьевича все же была профессия, и его успехи с головоломками следует отнести к ней: он назывался массовиком, а к этому слову обязательно прибавляли еще– «затейник». Массовик-затейник – профессия прошлого, времени, когда в жизнь усредненного советского человека вошли и прочно осели дома отдыха, клубы, дворцы культуры и турбазы.

Обязанности у Владимира Григорьевича были другими – он был массовиком, предлагающим игры, но не в домах отдыха, а в домах пионеров. И только те игры, в которых требовалась смекалка. Эти игры он придумывал сам, а затем относил в издательство. В их числе были и головоломки.

Маленькая голубенькая книжица, на обложке – заглавие: «Шутки-минутки». Мальчик в желтой рубашке с бантом и в цилиндре – может быть, это начинающий массовик-затейник – держит в руках карточки, и на каждой – разделы этой книжечки: на одной – «Фокусы», на другой – «Игры», на третьей – «Загадки». Собственно говоря, это даже не книжечка в обычном ее понимании, а вложенные в обложку карточки и маленькая брошюрка, объясняющая правила игры. На брошюрке надпись:

«В. Кристалинский. ШУТКИ-МИНУТКИ.

Набор фокусов и головоломок для детей 8–14 лет.

Издательство «Детский мир» Министерства культуры

РСФСР Москва 1958 год».

«Игра состоит из 16 карточек с загадочными картинками, ребусами и другими затеями. Решив их, вы можете при помощи этих карточек демонстрировать вашим товарищам ряд занимательных фокусов, головоломок, шуток, описание которых здесь дано».

Сегодня вы ничего подобного не найдете ни в книжном магазине, ни в том же «Детском мире» в Москве на Лубянке,..

Владимир Григорьевич Кристалинский состоял массовиком при ВОСе – Всероссийском обществе слепых. Слабовидящие тоже были восовцами, общество не делало различия между ними и абсолютно слепыми, помогало и тем и другим. Кристалинский выполнял заказы, которые ему предлагали, а вот придумывание игр для «Детского мира» и работа в «Пионерке» к ВОСу никакого отношения не имели. Они были любимым занятием.

Говорят, талантливый человек во всем талантлив. Владимир Григорьевич Кристалинский являл собой убедительный пример правоты этого наблюдения. У него был абсолютный слух; не будучи музыкантом – ни дилетантом, ни любителем, – он превосходно знал оперу и мог имитировать несколько языков – татарский, арабский, турецкий, японский, английский, не зная их, разумеется. И тому же был отцом двух очаровательных девочек, из которых одна унаследовала от него доброту, музыкальный слух и музыкальную память, другая – прямоту и независимость.

В тот год, когда он впервые появился в коридорах «Правды», ему было около пятидесяти.

Родился Владимир Григорьевич Кристалинский в Могилеве, его отец был родным братом Ильи Семеновича (братья Кристалинские свою фамилию писали с одним «л», так шло от их деда, а вот почему тот стал писать одно, никто не знал, скорее всего, из-за ошибки полуграмотного паспортиста). Тогда никто и предвидеть не мог, что фамилия станет громкой и ее знаменитой носительнице не раз придется объяснять, почему из двух обязательных «л» одно выпало, и предостерегать устроителей концертов от искажений в афишах. Вот только Григорий не так преуспел в жизни, как брат из Самары. Неистощимый на выдумки, его сын был человеком немногословным, о себе рассказывать не любил и мало кому рассказывал о своей семье и жизни. Да и сам Владимир Григорьевич был человеком неприхотливым, что сказывалось и в еде, и в одежде, и в полном отсутствии потребности в каких-то особых жизненных благах; пусть коммуналка, и пусть комнатка на Новорязанской настолько мала, что впору только одному человеку, а их долгое время было трое, потом, когда родилась вторая дочь, стало четверо. Настанет время, когда из таких клетушек начнут переезжать в пятиэтажки, но он не ходил, не просил и не требовал.

В Могилеве, куда отец его вместе с семьей перебрался из местечка на окраине губернии, он учился в реальном училище. Мальчик, от природы явно одаренный, тянулся не к латыни, не к греческому, а к математике, черчению, физике, поэтому он и выбрал реальное училище; это было накануне революции. Черта оседлости постепенно стиралась, хотя и не была высочайше отменена. Как он учился, можно только ко предполагать, возможно, и средне: одаренные дети не всегда в ладах с теми дисциплинами, которые не любят, а тут еще начались нелады со зрением, так что об ученическом усердии говорить не приходилось.

После революции, в начале двадцатых, он оказался в Саратове. И вот там встретился с премиленькой белокурой девушкой по имени Валя; но это нежное имя никак не соответствовало ее крепкому характеру, быстроте и ловкости, с которыми она делала все, за что бы ни бралась. Недаром она была сибирячкой, приехала из Павлодара. Поженившись, они едут в Москву. Не только поиски столичного счастья гнали новоиспеченную семью в столицу; в конце концов и в провинции можно было как-то устроиться. Володю Кристалинского влекло учебное заведение, открывшееся только благодаря революции, со сложной аббревиатурой ВХУТЕМАС. Во всем мире не было ничего подобного ему; сюда хлынули любящие технику, живопись, скульптуру, архитектуру молодые гении, требующие новых революционных форм вместо надоевших старых. ВХУТЕМАС – Высшие художественно-технические мастерские.

В мастерских был художественно-конструкторский факультет, и Володя Кристалинский становится его слушателем. В центре Москвы, в Бобровом переулке на Мясницкой, в ветхом помещении, где от нервических шагов яростных ниспровергателей искусства прошлого скрипят старые доски, шли несмолкаемые диспуты, умолкавшие только тогда, когда речь держал мэтр, человек, идущий в авангарде революционного искусства. Но со временем ВХУТЕМАС исчезнет от зубодробительного удара всепобеждающего социалистического реализма.

В диспутах Кристалинский не участвовал. Он учился всему, чему можно было учиться, не забывая о необходимости зарабатывать на хлеб для своей маленькой семьи.

Его жена, далекая от проблем современного искусства, женщина не очень-то грамотная (она росла в деревне, отец ее был лесником), считала мужа человеком гениальным, а значит – исключительным, и оберегала от малоприятных житейских забот. В комнатушке вскоре их стало трое – родилась дочка. Девочек, рожденных в мае, часто называют Майями, несмотря на предубеждение суеверных, что из-за этого имени они всю жизнь будет маяться. А может быть, они правы? Во всяком случае это имя редко дают в другие месяцы года. За девочкой ласково и деловито ухаживала мать и с немужской нежностью – отец. Ему казалось, что их московская жизнь набирает обороты – вот появился ребенок, забот прибавилось, сквозь рассеявшийся пороховой дым революции засветило солнце, как вдруг среди ясного неба прогремел гром – первый в жизни Владимира и Валентины Кристалинских. Двухлетняя дочь простудилась, заболела воспалением легких – болезнь по тем временам грозная, – и через несколько дней ее не стало.

Это имя долго с непроходящей болью повторял про себя ошарашенный отец, и ему казалось, что нет на свете имени светлее, чем Майя, роднее, чем Майя, оттого и горше – потому что нет Майи...

Через несколько лет, в ветреный, студеный зимний день, когда до весеннего мая было еще далеко, в семье Кристалинских вновь родилась девочка. У отца не было никаких сомнений в том, какое имя дать ребенку: конечно же, Майя, Майечка, как же иначе? Это было 24 февраля 1932 года. Нелегким оказался тот год, голодным. Детей больше умирало, чем рождалось. Но появлялось на свет будущее поколение шестидесятников. Поколение, которому суждены были благие порывы, увы, нереализованные.

Во время войны трое Кристалинских с Новорязанской улицы были в числе сильно поуменьшившегося числа горожан, оставшихся в Москве, несмотря на плохие вести с фронта и октябрьскую панику 1941 года, когда немцы, пролетая над городом, разбрасывали листовки с твердым обещанием, что через день-другой Москва будет взята, сомнений в этом никаких нет, как и в победоносном для немецкой армии исходе войны в ближайшее время. Листовки оказались страшнее бомб, им поверили, и те, кто обезумел от страха, бросились на вокзалы восточного направления, осаждая пульмановские вагоны стоявших на путях поездов и теплушки с нарами. Пережившие этот день, оставшиеся в Москве, напоминали тяжелобольного, перешагнувшего кризис. Больше немецких листовок не было, Москва оказалась немцам не по зубам, но налеты не прекращались; так было и той осенью, и зимой, и в следующую весну. По самолетам палили зенитки, да так, что те очень быстро улетали.

Внешне жизнь в комнатке на Новорязанской мало чем отличалась от довоенной – все так же на работу уходил отец, все так же в магазинах пропадала Валентина Яковлевна. Но на столе было скудно, хлебный паек часто урезали; окна были заклеены полосками бумаги крест-накрест, да и в школу Майя не ходила – в сорок первом, осенью и зимой, и весной сорок второго московские школы были закрыты.

Во время налетов мать и дочь редко спускались в бомбоубежище, которое располагалось в подвале их крепкого, массивного, построенного еще до революции дома. Они были уверены, что никакой фугас его не прошьет. Валентина Яковлевна, не обращая внимания на сигналы воздушной тревоги, продолжала хлопотать на опустевшей кухне, а Майя… вязала.

Кто-то научил ее – возможно, мать, возможно, соседка, – и, когда все стало получаться быстро и хорошо, вязанием Майя заболела. Теперь она могла сидеть за работой часами, спицы в ее руках порхали, серый клубок грубой лохматой шерсти, больше похожий на пеньковую бечевку, таял, прыгая на полу, колол пальцы, и к концу работы они распухали. И не свитера и кофты вязала Майя с таким упорством – их можно было бы обменять на хлеб или муку – а… носки, большие, мужские. Она аккуратно складывала их в стопку, и стопка быстро росла.

> *Из рук выскальзывали спицы,*
> *Девчонке было девять лет,*
> *А ей, голодной, снился, снился*

Пайковый хлеб, тяжелый хлеб.
Вязала в комнатенке голой
Вблизи замерзшего окна.
Одолевать тоску и голод
Учила девочку война.
И нить за нитью до обеда
Часы тянулись нелегки.
И вновь для фронта, для Победы
Вязала девочка носки.
Порою до седьмого пота
Она трудилась – дотемна.
Какой нелегкою работой
Пытала девочку война...
И трудится она, чтоб лучше
Была другим судьба дана,
Чтобы других детей и внучек
Вовек не тронула война.

Эти стихи были написаны спустя сорок лет после той первой и самой тяжелой военной зимы. Майя Кристалинская по-прежнему была увлечена вязанием. Говорят, оно успокаивает, и, если это так, Кристалинская не могла не выбрать для себя подобное лекарство. Правда, теперь это был не тяжкий труд, да и шерсть стала хорошего качества: Майя привозила ее из заграничных поездок. И вязала свитера и кофты, и снова не для себя, а для такой же девочки, какой она была в сорок первом, – племяннице Марьяне шел десятый год, Майя любила ее, как дочь, своих детей у нее не было. Страна в те годы переживала трудности, хотя и несоизмеримые с теми, военной поры. Детские свитера и кофты нужны были не меньше, чем шерстяные носки, в посылках уходившие на фронт: народ-победитель по-прежнему испытывал нужду в необходимом.

А стихи (автор назвал их «Девочка» и посвятил Майе Кристалинской) написаны хорошим русским поэтом Борисом Дубровиным. Вчитайтесь – речь в них идет, по существу, о маленьком подвиге ребенка, а о том, что его труд – подвиг, знали только мама и папа. С первых дней войны самым популярным призывом в тылу стали слова кумачового транспаранта, висевшего в заводских цехах, на улицах, в метро, магазинах, даже школах: «Все для фронта, все для Победы!», и девочка этот лозунг обратила для себя в тяжелую бабью работу. А еще она могла петь для раненых, знала много пионерских песен – их разучивали в школе на уроке пения, но вот на выступления в госпиталях она не просилась – у нее была своя работа и была своя норма: сделать как можно больше.

4. Второе призвание Лили Кристалинской

Лилия Ильинична никогда не носила никакого звания, но по части посиделок была истинно народной. В театре ценили не только ее умение спеть эпизод в спектакле, но и устроить домашнюю вечеринку. За это Кристалинскую и избрал народ единодушным голосованием на профсоюзном собрании в месткоме театра, доверив ей культмассовый сектор. И теперь Лилечка устраивала вечера для театрального люда и постоянно приглашала лучшего, на ее взгляд, из массовиков-затейников Москвы – Владимира Кристалинского с его шарадами, играми, головоломками. Ему отводилось две-три комнаты, и в каждой желающих развлечься ждал сюрприз: каждому по вкусу, а всем вместе – бесплатное удовольствие. Вскоре Владимир Григорьевич стал своим в театре на Пушкинской, и его не раз видели на спектаклях с маленькой дочкой Майечкой.

В квартире Златогорова – Кристалинской звано-незваные гости собирались часто, полон дом бывал и в красные дни календаря. А уж в дни рождения хозяев квартира ходила ходуном, цветами можно было устилать пол в двух комнатах и коридоре с кухней, листки с поздравительными стихами вывешивались на стенах. В обычные же вечера заглядывал кто-нибудь из завсегдатаев.

В апреле 1943 года неожиданно скончался Немирович-Данченко. После похорон поминали его не в ресторане, что было невозможно из-за дороговизны, а в квартире № 45 дома в Глинищевском переулке. Можно только представить, какие невероятные хлопоты взяли на себя Павел Самойлович и Лилия Ильинична! Полуголодная Москва, где каждый грамм хлеба, масла, сахара, да и всего остального из «минимальной продуктовой корзины» был по карточкам. А водка? А как усадить людей в небольшой по габаритам квартире, заставленной мебелью? Ожидалось человек сорок. Но хозяйка по опыту знала: ждешь сорок, придут пятьдесят. Так оно и вышло.

Мебель была срочно выдворена на лестничную площадку, столы расставлены и накрыты в двух комнатах, на них появилась откуда-то великолепная закуска – колбаса и сыр, которых москвичи не видели с довоенных времен. Нелегко было Лилечке, она ждала ребенка, что было уже куда как заметно. Водки оказалось мало, и было решено обменять хлеб на спирт, Лиля собрала карточки, отоварилась в бывшей филипповской булочной, за углом, и с буханками в авоське пошла в «Елисеевский», возле которого сновали менялы. Однако не все оказалось так просто. По дороге ее задержал военный патруль: буханки вызвали подозрение. Бедную Лилю повели на допрос, но там, заметив ее не совсем стандартную фигуру, все же сжалились. А когда она объяснила, что собирается менять хлеб на спирт для поминок по Немировичу-Данченко, о кончине которого знала вся Москва, солдаты патруля прониклись к ней уважением и не только отпустили, но помогли обзавестись спиртом, а потом отрядили красноармейца, который донес сумку со звякающими бутылками до самой квартиры.

После поминок Павел Александрович Марков, режиссер и театральный критик, пошутил: «Ну, вы, Лилечка, наш Христос. Одним хлебом всех напоили».

Владимир Григорьевич Кристалинский при всей своей общительности в друзья никому и никогда не набивался, в мужских сходках на предмет возлияний и бесед о футболе, женщинах не участвовал, но знакомые к нему тянулись. Привлекала некоторая его загадочность, связанная не только с профессией, но и с независимыми суждениями на любую тему, будь то театр, книги, живопись, музыка или просто свалившиеся на чью-то голову проблемы.

В тот вечер он шел по переулку, держа за руку дочку Майю. Она была в потертом пальтишке, с кроличьим воротником и белой шапочке с длинными, болтающимися, как тесемки, ушками, из-под шапки виднелась темная ровная челка.

А в квартире на седьмом этаже их ждало тепло, чай с бутербродами – густо намазанный маслом хлеб и ароматная колбаса, в те годы ее покупали только к празднику. И еще ждала музыка. В доме были и другие гости, кто-то садился за пианино и пел, кто-то просто играл. На окно наползали сумерки, в комнате загорался свет в оранжевом куполе абажура, и она дышала уютом, частью которого была музыка. Майя забивалась в угол большого кожаного дивана и очень огорчалась, когда пианино вдруг становилось немым.

Вот так в доме тети Лили Майя Кристалинская неожиданно открыла для себя мир, который оказался безграничным. Черный диск на стене в их комнатушке на Новорязанской, говоривший человеческим голосом, иногда пел песенки, их Майя с восторгом слушала – «Мы едем, едем, едем в далекие края...» Или совсем грустную песенку про дедушку Ленина – «Он взял бы нас на колени и ласково бы спросил: "Ну как вы живете, дети?"» Таких песен было немного, Майя знала их наизусть, они – понятные. Однако, оказывается, музыка может быть и другой, веселой и серьезной, но, чтобы ее понять, нужно подрасти. А произойдет это не скоро. Майе всего шесть лет, но ее тянет, тянет к пианино, – когда оно молчит, к нему можно подойти и нажать на клавиши, и пианино тут же отзовется.

Так обычно поступают дети, потому что пианино для них – та же игрушка. Для Майи же оно было большой волшебной шкатулкой, где пряталось много звуков. И каждый раз, приходя к тете Лиле, она садилась на диван в самом его углу и не сводила глаз с черно-белых клавиш, по которым порхали чьи-то пальцы, а когда кто-то пел взрослые, незнакомые мелодии, вся превращалась в слух. На нее никто не обращал внимания, тетя Лиля большей частью находилась на кухне, а вот дядя Паша нет-нет да и бросал внимательные взгляды на темноволосую девочку, очень похожую на своего папу, с большими серьезными глазами. Может быть, это маленький Моцарт в девичьем обличье? Вряд ли. Женщины редко пишут музыку, но вот талантом превосходных исполнительниц их Бог не обделил.

Не только хорошим режиссером, но еще и добрейшим человеком был дядя Паша. И он сделал то, что могла себе позволить далеко не каждая семья, где подрастал музыкально одаренный ребенок. Он купил детскую гармошку. Когда в очередной раз отец и дочь Кристалинские пожаловали в гости, дядя Паша вручил ее растерявшейся от счастья Майе.

– Паша, Паша, но с какой стати? – пробормотал изумленный Владимир Григорьевич. – Ты с ума сошел!

– Нет, не сошел, Володенька. Мне кажется, что твоей дочери она пригодится. Считай, что это для нее как приглашение к музыке. А там посмотрим.

И теперь у себя дома Майя могла извлекать из этой расписной гармошки с планками, как у настоящей, звуки, складывать их в мелодии, слышанные по радио, и, к собственной радости, обнаружить, что мелодии под ее пальцами напоминали уже знакомые. Майю никто не учил, никто ничего не мог подсказать, ни отец, ни мать, ни соседи, ни их дети. Родители только удивлялись способности дочери терпеливо растягивать гармошку, неустанно перебирая пальчиками.

И уже перед сияющими дядей Пашей и тетей Лилей Майя наигрывала на гармошке всё, что ей удалось выудить из нее, а гости, если они были, бурно аплодировали и наперебой советовали непременно повести Майечку в театр, пусть талантливый ребенок послушает настоящую музыку, оркестр, хор. Как заметил шутник Владимир Канделаки[1], тогда ее репертуар значительно разнообразится.

Но в театр Майя попала позднее, когда стала постарше. Своей «Синей птицы» – «вечнозеленого» спектакля в Художественном, где зал становится детской площадкой аж с 1912 года по сей день, – в театре Немировича-Данченко не было, да и вообще детские спектакли мэтр не ставил. Поэтому Майя открыла для себя театр уже «взрослым» спектаклем, да еще слегка фривольным, – «Дочь Анго». Правда, фривольности ребенок, естественно, не понял, здесь можно было посмеяться и гротесковыми персонажами, да и сюжет был несложен и девочке восьми лет вполне доступен. Но главное достоинство спектакля состояло в другом – в нем участвовала тетя Лиля! В роли, которую Майя запомнила сразу: тетя была Герсильей. И когда она появилась на сцене в капоре и длинном платье с передником – она играла базарную торговку, – Майя узнала ее и захлопала в ладоши. Ей хотелось хлопать еще и еще, но залу до тети Лили не было никакого дела, и папа, сидевший рядом, тоже не хлопал. Когда же после спектакля все артисты вышли на сцену и вместе с ними – тетя Лиля, зал аплодировал стоя, и Майя старалась изо всех сил.

А музыку такую она никогда раньше не слышала, музыка показалась ей очень веселой, может быть, потому, что в зале все весело смеялись хитростям поэта Анжа Питу и цветочницы Клеретты, и одновременно, казалось, смеялась и музыка.

Майю поразил театр, ей нравилось сидеть в ложе, в кресле с бархатной обивкой и смотреть на сцену – та была рядом, и оттуда исходил какой-то незнакомый запах. Майя еще не знала, что у всех театров один запах – столярного клея, красок и старого дерева, а еще в разгоряченный

---

[1] Канделаки Владимир Аркадьевич (1908–1994) – певец, народный артист СССР.

дыханием сотен зрителей зал со сцены стелется легкий холодок. Но самым главным для нее была музыка, в театре она оказалась живой, не то что в черном кругляшке на стене у них дома; в театре музыка рождается, живет, взлетает чуть ли не до погасшей люстры. Артисты тоже были живыми людьми, не то что в кино, и пели красивыми сильными голосами, вот только понять, о чем они пели, Майя не могла. Все любовь да любовь.

Потом наступила долгая пауза, слушать в театре ребенку было нечего, нужно было еще подрасти, а уж тогда … Через три года это упоение театром приняло стойкий характер.

Пришлось оно на войну, когда зимой сорок третьего, в мороз, гладящий по лицу жгучей ладонью, она быстро шла, почти бежала по Басманной, отогревалась в метро, потом, выскочив на улицу, бежала по Пушкинской – трамваи были редки – и влетала в холодный театральный вестибюль, где ее встречал дядя Паша и вел в фойе. В зрительном зале было теплее, она садилась в кресло – и начинался праздник. Он длился три часа, сопровождался музыкой Чайковского, Штрауса, Оффенбаха, Планкетта, Лекока. Майя была счастлива. А когда спектакль кончался, она шла к тете Лиле, и на столе с ее приходом мгновенно появлялись горячий чай и тоненькие бутерброды с сыром, припрятанным тетей для Майечки.

Так было в войну. Музыка для Майи становилась частью ее жизни, хотя и ограниченной всего одним театром. Но каким! Маленькая гармошка красовалась дома на видном месте как былой символ приобщения ребенка к музыке, а сам ребенок постепенно превращался в очаровательную девочку-подростка с двумя косичками-крендельком: такова была девичья мода во второй половине сороковых годов. Каждый спектакль на Пушкинской становился музыкой, которую она обожала, не Чайковского («Евгения Онегина» она слушала несколько раз), не Штрауса и не Миллёкера, а музыкой вообще, в звуках которой можно долго плыть, не ища причала.

Мелодии, услышанные тогда, вспоминались неожиданно через много лет (да разве можно их забыть, эти мелодии, услышав хотя бы раз, особенно при феноменальной музыкальной памяти Майи!) – и становились напоминанием о том времени, когда будущая эстрадная певица проходила свою консерваторию, где получала образование не по части вокала; как полагается в высшем музыкальном учебном заведении, а по части постижения безупречного музыкального вкуса.

Будем считать, что с оперы и начался путь Майи Кристалинской на эстраду. Театр она полюбила самозабвенно, некоторые спектакли смотрела по нескольку раз. Но не сюжет ее волновал, а музыка – арии, дуэты, эффектные музыкальные сцены

В театре тети Лили и дяди Паши Майя бывала, когда выдавалась свободная от школы минута, но хотелось петь и самой. Молодые солисты со звонкими, упругими голосами манили ее: вот бы выйти на сцену, как они, чтобы тебя слушал переполненный зал. Но хватит ли у нее голоса, да и смелости – запросто ступить на авансцену, взглянуть на дирижера и по его взмаху запеть? Нет, лучше уж у себя дома, когда никого нет, встать в центре комнаты, закрыть глаза – и сразу же возникнет зрительный зал. И тогда тихо запеть, чтобы, не дай бог, не услышали соседи, не сказали бы маме, что Майка поет в одиночестве, и не песни, а какую-то «муть», уж не свихнулась ли? И мгновенно умолкнуть, когда хлопнет входная дверь в коридоре и войдет в комнату мама с сумкой, из которой непременно торчит буханка белого хлеба.

Театр Станиславского и Немировича-Данченко (так он зовется в просторечии – название таково, что уменьшить его никак нельзя) стал для Майи Кристалинской музыкальной альма-матер, с ним она не расставалась никогда, но, став известной эстрадной певицей, обремененной частыми гастролями, бывала в театре уже редко. В дни очередной премьеры у нее дома раздавались звонки, ей посылали официальные приглашения, и если она бывала в Москве, то обязательно приходила на спектакль. И когда, приехав с очередного концерта, в последнюю минуту спешила занять свое место в ложе, по залу шелестел легкий шепот: «Кристалинская... Кристалинская...» И на ее ложу, словно по команде, поворачивались все бинокли.

В феврале шестьдесят восьмого года Павел Самойлович Златогоров праздновал свой юбилей – шестьдесят лет. Театр имени двух корифеев чествовал его так, что его вполне можно было назвать третьим корифеем. Ученик Немировича-Данченко всегда точно следовал тому курсу, который был задан великим учителем. В честь Павла Самойловича в тот вечер шла поставленная им опера «Безродный зять». В первом ряду сидели композиторы во главе с автором – Тихоном Хренниковым. Зал, знавший аншлаги, на этот раз переживал суператлаг. После спектакля юбиляра забросали цветами, началось чествование. Одной из первых на сцену поднялась Майя Кристалинская. Расцеловав дядю Пашу, она подошла к микрофону. И сказала немного – Майя всегда была немногословна. Она вспомнила свое детство, довоенное время, когда впервые с отцом пришла в дом на улице Немировича-Данченко, гармошку, которую подарил ей дядя Паша. И сказала, что сегодня эта гармошка стала ее талисманом...

Наступит время, и Майя Кристалинская, уже прочно обосновавшаяся на эстраде, обросшая друзьями на час и поклонниками на годы, будет приходить к тете Лиле и дяде Паше после концерта вместе с самыми верными из друзей. В основном старыми, проверенными не ее славой, а прошлой бедностью. У тети Лили их будет ждать накрытый стол, поскольку тетя наперед знала, что будет в день Майечкиного концерта, и была готова к нашествию счастливых и голодных молодых людей, обожавших племянницу. Ее готовность к гостеприимству выражалась во множестве расставленных на столе тарелок, большой кастрюлей с борщом, сваренным на два дня, но поглощенным за десять минут, котлетами и прочей снедью, и тетя Лиля становилась не менее счастлива, чем они, видя, что гости сыты, а Майечка радостна.

Как-то, рассказывая о Майе, Лилия Ильинична вдруг заплакала. И причиной тому – не нервы, не склонность к слезливости далеко не молодого человека, когда любые воспоминания о другом, давно ушедшем, выбивают из колеи. Я почувствовал боль незажившей ран3ы от былой трагедии. Мелькнула мысль – а не наиграны ли слезы, не театральны ли? Актеры, какого бы уровня они ни были, всегда остаются актерами. Но крамольная мысль быстро исчезла. Лилия Ильинична давно не рассказывала о Майе, за последние годы я был первым, кто сидел перед ней с диктофоном, кому она излагала историю своей долгой жизни и короткой – ее необычной племянницы. Да нет, не актриса эта трогательная в своем обаянии старости женщина, не играет передо мной роль любящей тетушки. Она бесконечно искренна в рассказе своем, а память ее – ну, иной раз забудет имя, кротко извинится за свои годы, признается – «не помню», а потом вновь напряжет память – и вспомнит, назовет человека. А вот помнить даты – это не возрастное дело.

Мы сидим с ней за тем самым широким и длинным обеденным столом, со стены напротив на нас смотрят портреты тех, кого уже нет, смотрят, возвращая к ИХ времени, ИХ жизни, ИХ душам, словно подсказывая: «Лиля, помнишь... Не забудь...», «Тетя, еще расскажи. Помнишь, как...» Взглянет Лилия Ильинична на портрет – и новый рассказ. И еще два портрета. С одного, писанного маслом, смотрит серьезно, даже несколько холодновато невероятно красивая женщина в шляпке, с собачкой на руках; судя по шляпке, портрет относился к двадцатым или тридцатым годам, точно сказать трудно, это хозяйка дома; с другого – увеличенной фотографии – гостям улыбалась женщина, быть может, и не столь эффектная, если бы не улыбка... За такую улыбку мужчины, все поголовно, должны были безоглядно влюбляться в эту женщину с большими, немного грустными глазами. И дело не в том, что эти глаза и эта улыбка были известны миллионам, просто других таких нет.

На фотографии была Майя Кристалинская. На портрете – двоюродная тетя, кузина ее отца.

А еще открытки – поздравительные или пришедшие из какого-то города, где Майя гастролировала, или с курорта, где отдыхала. А вот записка, написанная четким, круглым и крупным почерком: «Дорогая тетя Лиля! Самое главное – не волнуйтесь. Скоро вы будете дома, и будем вас укреплять. Я думаю, что в ближайшие дни мы увидимся. Целую, моя дорогая и любимая тетя Личка. Майя». Эту записку Лилия Ильинична получила в больнице, на другой день после операции...

Старый буклет на столе – на толстой оберточной бумаге. «Сад "Эрмитаж" и его театры». Год 1948-й. Вот театры в саду «Эрмитаж»; летний сезон, МХАТ в «Зеркальном», а затем там же – Музыкальный театр имени К. С. Станиславского и В. И. Немировича-Данченко. И его спектакли – «Перикола», «Корневильские колокола», «Цыганский барон», балеты. В перечне действующих лиц и исполнителей – Л. Кристалинская. Роли небольшие, но памятны Лилии Ильиничне еще вот чем: «Это Любочка меня вводила. Как я ее любила!» Любочка – соседка по дому и богиня по кино Любовь Орлова – когда-то была певицей, солисткой музыкального театра на Пушкинской.

Неподалеку от стола – старенькое пианино. Марка не из лучших – «Ростов-на-Дону». К клавишам, этим бело-черным хранителям музыки под крышкой с мелкими черточками-царапинами, чьи только пальцы не прикасались, какие только ноты не водружались на пюпитре и кто только не пел, стоя у этого нынешнего раритета. Была среди них и Майя Кристалинская.

Глава вторая

МАЙЯ, МАЙЕЧКА, МАИ

1. Ночь после выпуска

В самом начале пятидесятых, на кромке нового десятилетия, страна продолжала мечтать о всеобщем достатке, но теперь уже не в целом мире, где пролетариат никак не спешил разделаться с империализмом, а у себя, на одной шестой части этого несговорчивого мира. Война еще не отступила из сознания прошедших ее людей, а бывшие фронтовики уже начали менять выцветшие гимнастерки с разноцветными полосками на груди, свидетельством ранений, на цивильные костюмы. С карточками распрощались уже три года назад; десятки разрушенных городов, по которым пролегал когда-то путь к Берлину, уже не лежали в руинах, а обрастали медленно, но верно новым жильем и заводскими корпусами. Москву же война оставила почти в неприкосновенности, но и она начала меняться: не то чтобы хорошеть, но становиться иной. Поползли вверх диковинные островерхие замки, в них стала жить элита советского общества; берег Москвы-реки вдоль гигантского зеленого хвоста, вытянувшегося от Садового кольца до речной излучины у Воробьевых гор – парка имени Горького, уставлялся кубами домов, позднее названными народом «сталинками»; в магазины что-то завозили, а что-то прятали, но хлеб был, колбаса была, водка – на каждом углу, скромный ситчик и его появившийся конкурент штапель громоздились цветастыми рулонами на полках. Но многое в Москве оставалось неизменным еще с довоенных времен – например, троллейбус № 2, бегавший по длинному маршруту от старых деревянных двухэтажных домиков в начале Дорогомиловки до самого центра, до гостиницы «Москва». А через несколько лет и из этой «двойки», единственного троллейбуса в центре города, и из станции метро со старомосковским названием «Охотный ряд» поздним вечером в двадцатых числах июня будут высыпать мальчишки в костюмчиках, белых рубашках и девочки в нарядных платьях; их, повзрослевших, уже можно называть юношами и девушками. В тот день в школах – во всех московских – одновременно разом подобревшие учителя и взволнованные директора и директрисы вручали аттестаты зрелости. Первый в жизни солидный документ, заверенный печатью.

Первый вечер после окончания школы стихийно наполнялся гуляющими – почти исключительно бывшими школьниками, школьницами, правда, под негласным надзором милиционеров и дворников, следивших за порядком на московских улицах.

Такая традиция появилась в Москве в конце сороковых годов – первую ночь радостного освобождения от школьной зависимости проводить на ногах, а ноги несли не куда-нибудь, а в сердце Москвы, на Красную площадь. Именно она, Красная и любимая, была центром притяжения идейно выдержанных будущих строителей социализма-коммунизма – ведь там, за высокими кремлевскими стенами, посасывал погасшую трубку самый мудрый человек на свете.

Поздним июньским вечером пятидесятого года, во время наступления праздничного юношества на Красную площадь, в притихшей толпе, не отличавшейся особой пестротой, были две девушки, две одноклассницы из школы № 634, что на Басманной. Одна из них – Валя Котелкина, маленького роста, одетая в светлое ситцевое платьице, другая – Майя Кристалинская, повыше ее, в костюмчике, сидевшем на ней чуть мешковато. Виновен в том был не портной и не «Москвошвей», а обстоятельства другого толка: костюмчик был чужой, взятый у одной из подруг, что называется, напрокат, поскольку для такого торжественного случая в скудном гардеробе Майи ничего не нашлось. Скромно жили Кристалинские, да и Котелкины не намного лучше, но все же девочки принарядились: впереди – выпускной вечер в школе, затем – прогулка по Москве, с тем чтобы в самом начале короткой июньской ночи легонько процокать каблучками по «главной площади страны».

Валя и Майя шли, взявшись за руки вдвоем, отстав от ребят и девчонок из родного десятого «А», шли молча, глядя с любопытством по сторонам. Они бывали здесь редко, Майя – в последний раз несколько лет назад, когда ходила в Мавзолей накануне приема в комсомол в райкоме, где могли задать любые вопросы, чтобы испытать на прочность будущего борца за дело Ленина–Сталина. А так не вели дороги сюда,

у них была своя улица – Басманная, она была родной и, как им казалось, красивой и уютной, и вся жизнь заключалась в ней, путей-дорог
в другие районы Москвы бывало немного. На Басманной теснились
дома с коммуналками, где жили Валя и Майя, и школа, и Дом пионеров,
как называли тогда Дом детей железнодорожников. Этот самый дом
был целым миром, где подрастающий человек мог найти все, что его
душе было угодно, если она, душа, распахнута, готова впитать в себя
звуки музыки, краски пейзажей, стихи Пушкина и Лермонтова или ма-
нящие к себе огни театральных подъездов.

2. Валя и Майя

В Дом пионеров ходили целыми квартирами, рассыпаясь по разным
комнатам – кружкам. В детстве каждый ребенок кажется талантливым.
Валя Котелкина особыми музыкальными талантами не отличалась,
правда, петь любила и девичий голосок у нее был приятный. Но больше
всего любила читать стихи.

Валя Котелкина – студентка

В Москве о Доме детей железнодорожников наслышаны были и дети, и их
родители, попасть туда было не так просто. Популярность дома объяснялась
еще и знаменитой в стране фамилией,
которая ежедневно называлась по радио, мелькала в титрах на экране – ну
не культ ли личности, заключенный
в семи нотах? Но и по сей день эта фамилия стоит в перечне классиков советской музыки на одном из самых первых
мест вместе с фамилиями Шостаковича,
Хачатуряна, Хренникова, Прокофьева.

Дунаевский. Но сам Исаак Осипович никакого отношения к Дому детей
железнодорожников не имел. Маги-
ческий блеск его имени освещал трех
других братьев – тоже музыкантов
и тоже Дунаевских.

Братья Исаака Осиповича были в музыке рангом ниже, но истово отдавались своему делу. Особенно Семен Осипович, маэстро детской хоровой музыки. На всю Москву гремела слава о его пионерском ансамбле в ЦДДЖ, и со всей Москвы приезжали к нему влюбленные в хоровое пение мальчики и девочки в пионерских галстуках, с папами и мамами и с одной просьбой: примите. Но дело это было непростым – нужно было доказать свою принадлежность к путейским рабочим и служащим. Не требовалось этого только от детей из близлежащих кварталов. Зажигал Семен Осипович и будущие звезды – именно у него в ансамбле засветились первые лучики надежды на блестящее артистическое будущее Валентины Толкуновой и Светланы Варгузовой.

Валю Котелкину Семен Осипович принял, посчитав, что с ее данными петь в ансамбле можно, и благодаря ему Валя сделала тот первый шаг, который оказался одним из самых значительных в ее жизни. Зная о ее страсти к чтению стихов, Семен Осипович однажды неторопливо представил ее невысокому сутулому человеку в роговых очках с необычно толстыми стеклами. Человек этот долго рассматривал Валю, видно было, что это дается ему с немалым трудом, и вдруг предложил ей заниматься в его кружке. Читать стихи, играть смешные сценки, иногда и петь тоже смешные песенки – короче, развлекать. Звали его Владимир Григорьевич, фамилию же Валя запомнила сразу, уж больно красивой была фамилия – Кристалинский.

А был сорок второй год, осень, шла война, Москву часто потряхивало от налетов. Они были кратковременны, их пережидали в подвалах-бомбоубежищах, и когда по радио слышалось слово «отбой», Валя вылетала из подвала и шла по Басманной к саду имени Баумана, в Дом культуры; у Владимира Григорьевича кроме Вали в кружке были еще ребята, кому ни при каких условиях большое искусство не светило. Они собирались дружно, занятия проходили весело – Кристалинский сам, как заправский режиссер, ставил сценки, и это тоже входило в обязанности массовика-затейника, профессия-то ведь широкого профиля. Это позже его профессия стала вымирающей, а тогда массовик, да еще умеющий импровизировать, был в чести. Поставив сценки, Владимир Григорьевич делал целую программу, он вывозил ребят из стен дома на Басманной в «свет». Его «артисты» собирали целые фойе в кинотеатре «Колизей», что был неподалеку, на Чистых прудах. Зрители на концерты приходили задолго до начала сеанса, а «артистам» аплодировали не хуже, чем знаменитым мастерам во МХАТе.

Можно было подолгу разговаривать с Владимиром Григорьевичем, но разговоры эти были связаны только с репетициями, выбором сценок, о войне говорили редко, и уж тем более никогда не говорили о личной жизни режиссера-затейника. Как будто у него не было ни дома, ни детей. А Валя же, хоть и маленькая, но не по годам тактичная, интересоваться жизнью взрослых себе не позволяла.

Но тайна за семью печатями – жизнь этого полуслепого, обожаемого ею человека – внезапно приоткрылась. В класс, где училась Валя, пришла новенькая – черноглазая, улыбчивая, с ямочками на щеках, с ровной челкой девочка. От ее речи, от несуетных манер, от всегда спокойного голоса исходила такая же доброжелательность, как и от режиссера из ЦДДЖ. но это Валя обнаружила позже, когда узнала, что девочка по имени Майя носит ту же фамилию, что и Владимир Григорьевич, и что она самая что ни на есть его родная дочь , да и внешнее сходство их было несомненно.

У Вали и Майи было много такого, что заставляло тянуться друг к другу, какое-то внутреннее единство при различии характеров, темпераментов, даже взглядов на многие вещи и. что важнее всего, жизненной позиции.

Жизнь их потом потечет по разным руслам, профессии их в конечном счете будут несхожими и встречи – редкими, потому что появятся новые дела и заботы, без которых женщины жить просто не могут. У Майи начнутся частые и долгие гастроли, но в первый же день по приезде в Москву она непременно позвонит Вале и коротко скажет: «Валюш, я приехала...»

...Еще с войны городские школы в стране были «расколоты», разделены на мужские и женские. Принцип – дореволюционный, гимназический, форма в мужских школах пока не вводилась, а вот в женских появились коричневые платья с фартучками, и все девочки стали чуть ли не на одно – хорошенькое – личико. Название у этой системы было строгое – бифуркация. От нее, кроме учителей, в большей степени страдали сами мальчики и девочки, разведенные по разным улицам. В школах для мальчиков ждали танцевальных вечеров, на которые приходили девочки с соседней улицы, а в женские школы – скромные мальчики, тайком курившие папиросы «Север» или, что еще дешевле, сигареты «Кино». Валя Котелкина считала бифуркацию несусветной глупостью, Майя же разделяла Валина негодование с юмором, чуть подтрунивая над горячностью подруги, повторяя любимую фразу из «Онегина»: «Учитесь властвовать собою». Но вожделенные танцы были редки, а школьные обязанности каждодневны. И здесь характерами подруг диктовалось отношение к этим обязанностям. Валя Котелкина была девочкой дотошной во всем, что бы ни делала. Прийти в школу с невыученным уроком – этого никогда не допускала Валя, зато с легкостью допускала Майя. Но ей достаточно было один раз пробежать глазами страницу учебника на переменке, чтобы запомнить ее чуть ли не наизусть. Могла – правда, дома – легко решить сложную задачу по математике и вместо зубрежки химических формул заняться делом посторонним и неожиданным для девочки – читать газеты. В доме их было много, Владимир Григорьевич не ограничивал себя одной обязательной для каждого советского человека «Правдой», были и другие.

Майя Кристалинская и Валя Котелкина, а вместе с ними и весь Советский Союз были непременными слушателями той самой легендарной в военное время черной тарелки на стене («радиоточки»), которая не вышла из моды в конце сороковых по той причине, что замены ей не было. Слушали не столько новости, которые затем дублировали газеты, но которые мало трогали девушек, слушали – и это было их огромной радостью – музыкальные передачи.

Разные были передачи. Появлялись новые, и спрос на каждую был велик. В зданиях радио на улице Качалова и на Путинках, рядом со Страстным бульваром, можно было открывать свои почтовые отделения: письма и телеграммы летели сюда со скоростью радиоволн, количество их приводило в трепет гордых своим творчеством редакторов. На конвертах значился простой адрес: «Москва. Радио». А письма иной раз начинались словами: «Здравствуй, дорогая и любимая передача...»

«Дорогая и любимая» оказалась и у Майи с Валей. И называлась просто – концерт-загадка. Для тех, кто любит музыку. Для тех, кто знает музыку. И для тех, кто хочет узнать ее лучше.

И вот вечерами Майя с Валей прохаживались по Басманной – туда-сюда, вперед-назад. Этот почти ежедневный променад могла отменить только непогода. Подружки гуляли, напевая негромко, чтобы прохожие не оборачивались, удивленно тараща на них глаза. Это была игра, конечно, не столь замысловатая, как игры отца Майи, придумывать ничего было не нужно, за них все сделали на радио, предложив обрадованным меломанам игру на музыкальную эрудицию.

Ах, какие мелодии летали по Басманной! Низкий голосок Майи словно прижимался к земле, голосок у Вали был повыше и скользил ровно – все же бывшая хористка у Дунаевского.

На угадывание песен экзамен был проще, их они знали наизусть, и позором было не узнать то, что почти ежедневно предлагалось в радио-меню. А вот со знанием оперных арий и романсов было потруднее. «У любви как у пташки крылья...» – напевала Кристалинская. «Кармен», – сразу же отвечала Котелкина. «В храм я вошла смиренно, чтобы свершить молитву», – с чувством выпевала Валя. «Ария Джильды», – парировала Майя и тут же заводила баском: «Любви все возрасты покорны». В ответ немедленно: «Ария Гремина». – «А из какого действия?» – не сдавалась Кристалинская. «Из третьего, – парировала подружка после небольшой паузы.– Это когда на балу Онегин встречает Татьяну в малиновом берете, – быстро добавляет Валя и улыбается: – Это же элементарно». «Конечно, – думает Майя, – допустить, чтобы Валя не знала "Онегина", – глупо».

И все же оперных арий у них на примете было немного, романсов – тоже, и тогда они все же переходили к песням, стараясь преподнести недавно услышанные, новые.

Радио уже не образовывало, а оттачивало вкус Майи Кристалинской. С песнями все было проще, она легко их запоминала, могла тут же безошибочно повторить. С оперными ариями было потруднее, нужно было прослушать их еще разок, и только потом она могла напеть безошибочно.

Радио в доме Кристалинских выключалось редко.

Однажды по дороге из школы Майя неожиданно предложила Вале свернуть в ЦДДЖ.

– Это зачем? – удивилась Котелкина и серьезно посмотрела на Майю. – Не могу, меня дома мама ждет.

– Ну, на минутку, пошу тебя. Какая там акустика!

– При чем тут акустика? Ты чего придумала, скажи сразу, – настойчиво попросила Валя.

– Я хочу тебе кое-что спеть. А мой исключительной красоты голос требует только хорошей акустики, – загадочно сказала Майя и потянула Котелкину за руку. – Идем, Валентина, петь буду ровно две с половиной минуты!

И Валя сдалась.

Они вошли в прохладный вестибюль и неслышно поднялись по лестнице в большой зал. В зале было пусто и тихо, он тотчас отозвался на их шаги по паркету, а когда Майя и Валя остановились, легкий стук их каблучков затух, взметнувшись под потолок. И снова стало тихо, и в этой сдавленной стенами тишине вдруг раздался чистый и взволнованный голос, из среднего регистра он легко и быстро взметнулся в верхний. Валентина ошеломленно взглянула на Майю – неужели это она поет, а не кто-то другой? Валя даже осмотрелась невольно, но никого не было, рядом стояла Майя, с закрытыми глазами, подняв руки над головой, простирая их к потолку – небу, призывая решительно:

«Силы потайные!»

Валя не думала сейчас о том, откуда эта ария, в памяти мелькнуло не очень уверенное: «Гадание Марфы», «Хованщина», словно здесь, в зале, продолжались загадки на Басманной.

«Силы великие!

Это был зов не школьницы в коричневом платье с фартучком, с белой каймой на воротничке, это был зов сильной и властной женщины, вырвавшийся из худенького девичьего тела.

«Силы сокрытые в мир неведомый!»

Голос подхватила гулкая пустота зала, увеличив его до размеров полетного контральто...

«Силы потайные зов мой услышали!»

Валя стояла не шелохнувшись, замерев от изумления – это же Майя, ее Майя так поет, ну – артистка, честное слово, настоящая артистка!

Майя спела арию и, скрестив руки на груди, молча, без улыбки смотрела на Валю, потом равнодушным голосом диктора радио объявила: «Вы слушали "Гадание Марфы" из оперы Мусоргского "Хованщина". А теперь послушайте арию Любаши из оперы Римского-Корсакова "Царская невеста". Поет Майя Кристалинская».

И снова закрыла глаза и пропела еле слышно: «Ох, не губи души моей, Григорий...» Голос постепенно креп, напрягался, в нем Валя услышала и тревогу, и страдание, и мраморный зал отозвался всплеском, рухнувшим откуда-то сверху...

«Да любит ли она его, да любит ли, как я люблю!»

И та же сильная, но уже потерявшая власть женщина снова появилась в зале в облике этой худенькой девушки с большими глазами, полными слез.

«Майка, Майка, как же ты талантлива!» – хотелось крикнуть Вале, но она молчала, потрясенная...

3. Перед выбором

Над Красной площадью полыхали зарницы, над Зарядьем повис легкий дождик, и полоснувшие по нему молнии гасли, оставляя дальние громовые раскаты. Занимался рассвет.

Площадь постепенно пустела, бывшие школьники перемещались на набережную, на Манежную, в Александровский сад; тогда еще не было могилы Неизвестного солдата, сад был не столь ухоженным, как нынче, у решетки напротив Манежа на скамейке стоял патефон и хрипело танго с крутящейся пластинки. А у Манежа, в центре площади, бывшие школяры плотным кольцом обступили худенькую девушку в темном костюмчике, она стояла, скрестив на груди руки, и негромко пела, почти не напрягаясь: «Майскими короткими ночами, отгремев, закончились бои, где же вы теперь, друзья-однополчане, боевые спутники мои». Никто ей не подпевал, не положено громко петь у самого Кремля, где светится одно окошко, а за этим окошком не спит отец народов. Нельзя ему мешать, он великую думу думает и великие дела творит.

Девушка после песни о друзьях-однополчанах запела другую: «Горит свечи огарочек, гремит недальний бой. Налей, дружок, по чарочке, по чарке фронтовой…» Кольцо вокруг певицы росло, сжималось, из задних рядов вытягивались шеи, стараясь разглядеть девушку, а когда она закончила, никто не аплодировал – не концерт ведь, просто такой вот момент, что и не петь нельзя, а если уж петь, то очень хорошо. А у нее не просто хорошо, а отлично получалось.

– А «Синий платочек» поешь? – раздался недоверчивый голос из толпы.

– Пою, – скромно ответила певица в костюмчике. И вдруг запела, ничуть не подражая знаменитой артистке, которая благодаря этой песне обрела всенародную любовь.

Развидневшееся небо над Москвой медленно наполнялось маленькими комьями облаков; на улице Горького появилась первая поливальная машина и двинулась к Манежной, разбрызгивая сверкающие струи на и без того чистый асфальт – ни единого фантика, ни единого окурка.

Но вот ползущая, как танк, машина приглушенно затарахтела на площади, напоминая всем, кто был здесь, что пора уходить, их время уже истекло. Наступало утро нового дня над Москвой, еще не проснувшейся, смотревшей в теплое небо серыми глазами площадей; это было утро первого дня новой жизни тех, сегодня счастливых, кто нехотя уходил с Манежной, с набережных, с прихорашивающихся после ночного отдыха улиц, поднимался со скамеек Александровского сада и исчезал в метро.

Уходили с Манежной и Майя с Валей, рассыпалось кольцо, сжатое вокруг них, превратилось оно в толпу, шедшую к метро вместе с ними. Майя больше не пела, а ватага бывших десятиклассников, шагавших сзади, напоминала поклонников какого-нибудь известного киноактера, почтительно сопровождающих своего идола. Вчерашние школьники покидали последний приют своего отрочества, устремляясь в новую жизнь.

Вероятно, это был, пока еще слабый, зов судьбы – неожиданно для себя запеть в эту ночь на Манежной. Еще ничего не решено окончательно, выбор будущей профессии, а значит – института, мог оказаться скоропалительным, но тем не менее он состоится, и дорога в будущее начиналась в эти дни на одной из московских улиц. Кто знает, может, билетик троллейбуса, остановившегося у здания твоего института, и окажется билетом в жизнь?

В школе Майя пела редко – так, иногда на вечерах, их было два-три в году, накануне красных дней календаря. Специально для выступлений не готовилась, пела, что знала, под рояль, за которым сидел кто-нибудь из музыкально обученных старшеклассников. Двумя песнями все и ограничивалось, следом за ней выходили другие, читали стихи или пели песни, но Майя пела чище, музыкальнее, точнее, а главное – артистично, так считали учителя пения, которые в ее школе часто сменялись. И все ее хвалили – учителя физики, истории, математики. А одноклассники поглядывали на нее после каждого вечера как на будущую знаменитость.

О пении как профессии Майя никогда не думала. Какая там профессия? Она любит петь, делает это с удовольствием. Но она – любитель, каких много. Вот в школе – пожалуйста...

С институтом все решилось просто. Майя ни с кем не советовалась, даже с Валей, отец сказал, что вмешиваться не будет, пусть выбирает что по душе, а Валентина Яковлевна в серьезных вопросах всегда соглашалась с мужем. В школе, еще до выпускного вечера, как-то неохотно касались этой темы – «Куда подашь?». Одноклассники перекидывались незначительными фразами: «Ты что выбрал?» – «Институт связи, а ты?» – «Не знаю. Еще не решил». – «Куда идешь?» – «В университет, на биофак, а ты?» – «В Станкин. Там, говорят, конкурса нет». На вопрос, который задавали Майе, она лишь коротко пожимала плечами. Идти в гуманитарный? Почему бы не попробовать? Правда, туда большой конкурс. Но можно рискнуть. Сочинения Майя писала всегда на отлично, литературу и историю любила, с иностранным языком тоже проблем не было. Ее решение ждала Валя, она так и сказала Майе: куда ты, туда и я. Валя же тянулась более к математике, физике и химии. М-да... Есть еще экономические вузы, есть и экономические факультеты почти во всех технических институтах...

А если все же в университет, на физфак? Вот только конкурс! Тогда в пединститут? Но нет, педагогика не для нее, учитель из Майи не выйдет. Есть еще институт международных отношений. Было бы хорошо! Но в этот институт берут только особ мужского пола. Это во-первых. Женщины в лучшем случае могут стать женами дипломатов. Какая несправедливость, ведь женщина – прирожденный дипломат! Во-вторых, нужна рекомендация райкома комсомола. А кто даст такую рекомендацию девушке? Отпадает. Значит, на экономический. Взять Валентину и – в приемную комиссию.

Первое, что бросилось в глаза новоиспеченной абитуриентке, это «Московский государственный авиационный институт имени Серго Орджоникидзе». И в скобках аббревиатура – МАИ. А может, это судьба? Майя – МАИ. Не подсказка ли? Нет, это не случайное совпадение. Перечень факультетов в справочнике и строчка, которая решила все: «экономика самолетостроения». Итак, вопрос закрыт. Завтра же Майя пойдет подавать документы.

Котелкину уговаривать не пришлось. Она согласна подавать в МАИ, лишь бы – вместе. И не только поступать, но и учиться. «И на самолетах летать будем!» – радовалась Майя. «Ой, как страшно!» – испуганно охнула Валентина. Майя засмеялась: «Чего же тут страшного? Я вот собираюсь записаться в аэроклуб, буду с парашютом прыгать». – «Что?! – изумилась подруга. – Да кто тебе позволит?» – «Думаешь, спрашивать буду?» И Майя запела: «Потому, потому что мы пилоты, небо наш, небо наш родимый дом, первым делом, первым делом самолеты, ну а девушки, – тут она ласково погладила Валю по голове, – а девушки потом!»

В общем, первым делом будут самолеты, это ясно. Без экономиста самолет не построишь. Не посчитаешь – не взлетишь. А кто считает? «Экономист – это звучит гордо», – смеялась Майя.

На следующий день две неразлучные подруги стояли в длинной очереди у дверей приемной комиссии МАИ. А когда их аттестаты легли сначала на стол секретаря комиссии, а потом перекочевали в специальные папки с надписью «Личное дело», они поняли: назад пути нет. Да и не надо.

Они ступили на дорогу, выбор которой определила чистая случайность. Дорога эта оказалась короткой для Кристалинской и долгой для Котелкиной: длиной в сорок лет. Валя, девушка серьезная, привязанностей своих не меняла. Майя же с этой дороги сошла, но упрекать ее в легкомыслии нельзя. Она сменила привязанность на призвание.

4. «Девушка с характером»

Пять лет в институте – пять безоблачных лет, где легкими тучками были экзамены, но тучки уплывали быстро. Майя к экзаменам всегда была готова при всем равнодушии ко многим предметам, которые приходилось штудировать в МАИ. Она не была лишена чувства ответственности, сопровождавшего ее всю жизнь, в основе которого прежде всего было самолюбие – быть не только не хуже других, но и лучше, если не всех, то многих. Каждый экзамен был не столько отчетом в ее знаниях перед профессурой – лишь бы сдать, «спихнуть», как говорят студенты, но прежде всего проверкой самой себя, своих возможностей и внутренней готовности перешагнуть еще один рубеж, которых в жизни – много.

Готовясь к сопромату, одному из самых сложных, а потому и неприятных экзаменов в любом техническом вузе, Майя заболела ангиной, причем сильнейшей, с температурой около сорока, державшейся несколько дней. А сопромат – не снежная крепость, наскоком его не возьмешь; сидя в постели с завязанным горлом, она глотала антибиотики, листая толстенный учебник и конспекты с лекциями. Температура немного спала, когда она пошла на экзамен. Что ж, упорным всегда воздается – в ее зачетке появилось очередное «отлично». Когда же Майя приползла домой, то тут же свалилась вновь. Ртутный столбик на градуснике взметнулся к верхней точке. Сопромат мог оказаться в ее жизни роковым, но, слава богу, этого не случилось. Майя победила.

История с сопроматом – лишь небольшой эпизод, репетиция будущих сражений с куда более серьезным противником, чем ангина. Побеждать хочет каждый, но не каждый на это способен. А на втором курсе – невинный зачет по физкультуре, куда входило плавание.

Майю и Валю вместе с группой студентов преподаватель физкультуры привел к какому-то водоему в парке Покровского-Стрешнева и приказал: «Плывите». Время было не из жарких, стояла середина сентября, и вода охлаждала до посинения. Двадцать пять метров туда, двадцать пять обратно. Не проплывешь – останешься без зачета. Валя плавала хорошо, а вот Майя – совсем не умела. Как быть? Сдавать-то надо. И тут Майю осенило. Она предложила Вале плыть, прощупывая дно ногами. А она пойдет сзади, взмахивая руки, вроде – плывет. Так и сделали. «Заплыв» начался. Валя плыла что есть сил, нагрузка у нее оказалась двойная: плыть самой да еще дно ногами нащупывать, подружке фарватер показывать. Физкультурник обман понял сразу, но оказался человеком незлобным, сжалился. «Кристалинская, – закричал он почти сразу же, – выходи из воды, все ноги собьешь, мать твою!» Повернули на вторые двадцать пять метров. Преподаватель уже просто взмолился: «Выходи, Кристалинская, обещаю – я тебе зачет и так поставлю. За находчивость!» – «Нет, – выдохнула Майя вместе с водой (плыла-то брассом), – не выйду, я доплыву!»

Могла бы и выйти, холодная вода сводила руки, но не сдалась, не сдрейфила – «доплыла». На берегу, поддерживая еле стоявшую на ногах Котелкину, натянула на нее, посиневшую, свою кофточку, сама осталась в рубашке, твердо заявив Вале: «Мне не холодно». А физкультурник, ставя ей зачет, усмехнувшись, заметил: «Тебе, Кристалинская, плаванию надо доучиваться. Руками ты уже умеешь, вот еще ногами бы. А вообще – молодец. Девушка с характером!»

МАИ – институт в несколько корпусов, самый старый из которых вздымался серой громадиной, – в пятидесятых был одним из самых впечатляющих строений на потихоньку застраивающемся Волоколамском шоссе. Росла авиация – рос МАИ. В стенах его – тысячи студентов, и чтобы стать среди них заметным, нужны особые заслуги. Институт узнал о Кристалинской спустя десяток лет, когда ее услышали по радио и в одной из передач она обмолвилась о своей альма-матер. А в начале пятидесятых таких вот скромненьких черноволосых студенток с короткой стрижкой можно было встретить не один десяток. Но никто из них не мог спеть так, как Кристалинская.

5. Беглянки

И вот настал этот вожделенный день, когда, защитив дипломные проекты, подруги получили синие корочки с выдавленным заветным словом «диплом» и маленькие коробочки с синими лакированными ромбиками, на которых герб СССР и скрещенные молоточки под ним означают получение высшего технического образования. Ромбики надлежало носить всегда на правой стороне костюма; их в массах насмешливо называли «поплавок».

Вместе с дипломами девушкам выдали и направления на предстоящую работу – официальные письма, подтверждающие, что инженеры-экономисты Майя Владимировна Кристалинская и Валентина Ивановна Котелкина обязаны трудиться в течение трех лет на Новосибирском авиационном заводе.

И никуда оттуда. Крепостное право. Только вместо розог – Уголовный кодекс.

В том, что они должны ехать вместе, сомнений не было. На то и дружба, чтобы не только хлеба горбушку, но и судьбу-индейку – пополам.

Новосибирск они выбрали задолго до распределения.

Там романтика: тайга, кедры, Обское море, а главное – там есть оперный театр. «Травиата»; «Риголетто», «Фауст», можно хоть каждый день ходить в оперу.

И, собрав пожитки, прихватив даже утюг и кастрюльки – получились два увесистых чемодана на четыре руки, – они тронулись в путь. Втащили чемоданы в вагон, уселись на свои места и перевели дух, только когда поезд тронулся, стал набирать скорость и за окнами побежали платформы подмосковных станций, серые ельники на опушке за насыпью, матово-зеленые молодые сосны. Платформа – перелесок, платформа – перелесок, Москва уже далеко, кто знает, когда они ее увидят снова. И вот тогда, откинувшись на спинку плацкартной полки, Майя подумала, что этой поездки могло и не быть, она спокойно сидела бы дома.

Дело в том, что Майя могла работать и в Москве. Закон, жесткий к выпускникам вузов: окончил – отработай три года там, куда тебя пошлют, а посылали, как правило, только на периферию, иначе можешь лишиться диплома, а то и попасть под суд, – так вот, закон этот имел одно исключение – оставались при распределении в родном городе

*Майя Кристалинская и Валентина Котелкина –
студентки МАИ*

те, кто имел на это основание, и одним из таких оснований считалось наличие в семье инвалида и иждивенцев. Инвалид был (почти слепой отец), иждивенцы были (неработающая мать и малолетняя сестра). Но Владимир Григорьевич категорически не хотел сдаваться, нетрудоспособным он себя не считал, мог прокормить семью своими головоломками, которые неплохо оплачивались.

Как же хорошо остаться дома, в родной, хоть и многонаселенной квартире, с соседями, которые давно уже мало чем отличаются от родственников и знают не только о том, что варится у соседа в кастрюльке, но и что у каждого на душе. И совсем уж великолепно – вечерами ходить в театр, кино, к тете Лиле, а может быть, и на свидания и назначать их у памятника Тимирязеву на Тверском бульваре.

Как хорошо!

Но была еще Валя, маленькая, тоненькая Валя, с которой они были тенью друг друга. Валя Котелкина была ее вторым «я», ну как тут разделиться, это же невозможно!

И Майя решилась на поступок, который иначе как самоотверженным не назовешь.

Конечно же, в нем было не только геройство. Кроме Москвы Майя нигде не бывала, если не считать нескольких поездок с отцом на теплоходе по Москве-реке и Волге: Владимир Григорьевич плавал как массовик-затейник, а Майя – как его помощница. А вот теперь – столица Западной Сибири, и дорога к ней в несколько дней, и города по пути – Свердловск, Омск, хоть из окна вагона посмотреть можно. А потом потянется тайга, Майя ее в кино только и видела. И жизнь начнется новая, самостоятельная, делай что хочешь, без маминого – иной раз сердитого – догляда.

В общем, как пелось в одной из любимых Майиных песен, «Мы прощаемся с Москвой, перед нами путь большой».

О том, что было дальше, я не буду рассказывать «своими словами»: как бы они ни были точны, в пересказе все равно уйдет та достоверность, что сохраняется в документе. А если этот документ еще и письмо, то картина получается многоцветная, каким бы стилем это письмо ни было написано. Валентина Ивановна Котелкина, бережливая и аккуратная во всем, к своему маленькому архиву, собранному много лет назад и имеющему явный Майин отпечаток, относилась особенно бережно. Фотографии, номера институтских многотиражек, программы концертов Майи, немного писем. Но вот среди них одно, написанное карандашом и не отосланное. Кому, Валентина Ивановна не помнила, уж очень давно это было, в 1955-м; в том же августе.

А письмо это можно назвать документом, отображающим эпоху в деталях красочно.

Итак, поезд покинул Казанский вокзал и помчался на всех парах к Новосибирску.

«Казалось, что все позади, было грустно и немного тревожно оттого, что у тебя впереди новое и неизвестное. Ехали долго и утомительно, было жарко, душно. Проезжаем Сарапул. Не такой уж страшный город, напротив – небольшой, белый, на горе лес, и Кама – такая большая и синяя. Жить здесь можно. Снова едем. За окном – поля, выгоревшие луга, ветряные мельницы.

Омск. Выходим из вагона и видим: ведут арестованных. Одеты они грязно, а лица у них добрые, унылые и обреченные. Город недалеко, но видно его плохо из-за пыли и дыма над ним. Настроение понемногу снижается, здесь, очевидно, жить труднее.

Скоро Новосибирск. Я смотрю в окно. Ведь говорили, что здесь тайга, в моем представлении это – дикие места, а вместо этого вижу за окном бесконечные березовые рощи, облезлые, грязные, жидкие. Березовые рощи хороши в лесу густом, они там радуют, там много солнца, а те, которые за окном, меня злили. Я отходила от одного окна, подходила к другому, на противоположной стороне вагона, там тоже березовые рощи и редкие сосны.

Вечер. Завтра Новосибирск. Даже не завтра, а сегодня, ведь мы едем по московскому времени, а там разница 4 часа. Волнуемся. Куда идти, что говорить? Как нас встретят?

Ночью не спали. Я встала позже всех. Одетые пассажиры стояли у окон и смотрели. Опять такие же рощи...

Обь! Через 20 минут Новосибирск. За дорогу я стала суровее, город уже ненавидела.

Наш сосед, который представился как инженер-механик, помог нам сдать вещи в камеру хранения, рассказал, как ехать на завод. Позже мы узнали, что он директор завода в Барнауле.

Едем в трамвае, смотрим город, а города-то и нет. Мне кажется, что это пригород, окраина, уж очень мрачные дома и грязные улицы. И опять березы, мальчишки катаются на велосипедах.

Директор приезжает в 9, а сейчас – 7, значит, два часа ждать. Мы взяли с собой сумку с туалетными принадлежностями и халатами и ничего съестного.

Удивляюсь, что здесь ездят на бричках очень прилично одетые люди. Крашеные женщины в габардиновых пальто, мужчины почти все в шляпах. Потом я узнала, что здесь всякие высокие чины если не имеют машины, то держат лошадей.

Пора идти к замдиректора по кадрам. Там мы такие не одни, стоит стайка девчат. Подхожу, спрашиваю: «Вы откуда приехали?» Они смотрят на меня недоуменно. Оказалось, местные, из техникума. Противные девчонки, занозистые.

Замдиректора нас встретил неприветливо. Разговор был короткий, примерно такой:

– Специалисты?

– Да.

– Из Москвы? Из самой столицы?

– Да.

Посмотрел путевки, что-то черкнул.

– 730 рублей,плановик. Оформляйтесь.

Конечно, возражаем, но он поднимается и уходит из кабинета.

Нам обидно.

А уходя, он бросает: "Вы, – говорит, – как из фельетона..."

Ждали мы его часов пять. Уснули.

В этот день ничего не добились. В гостинице мест нет, в общежитии – тоже. Ночевали в красном уголке, куда нас отвела сердобольная секретарша.

Вдвоем на одном диване.

Утром снова у кадровика. И снова не соглашаемся. А он смотрит на нас равнодушно и говорит: "Идите к директору".

Директор тов. Салащенка предлагает нам должность... распредов. Выдавать детали рабочим. Мы стали его просить отпустить нас обратно, но он твердо сказал: "Нет!" И дал грузовую машину – перевезти вещи с вокзала.

Едем обратно. Идет дождь, ветер, меня трясет, поэтому я сижу в кабине, а Майя в кузове. Потом я пересела в кузов – уж очень Майка плакала, навзрыд, громко, никого не стесняясь и, по-моему, даже с причитаниями. Мне было страшно. Ей казалось, что уже все, что с такими вещами мы обратно не уедем.

Нас поселили в комнате при бухгалтерии. "Каземат", как мы назвали нашу комнату. Вечером слушали Москву.

Я лежала на кровати и плакала. Так хотелось быть дома, но это было так далеко и невозможно. Майка тоже слушала молча. Уснули мы опять голодные и тоскливые. Утром завтрак из зеленой колбасы и вонючего чая. Нас тошнило. Мы стали пить воду из-под крана вместо чая.

Сегодня решили оформляться старшими плановиками в цех на 920 рублей. Приоделись, но ничто не помогло. Прежде чем попасть в цех, мы попали в плановый отдел завода, где все дела вершила крашеная женщина, прилично одетая, перед нами корчила из себя начальника, жеманничала и говорила о культуре. Тут мы увидели Мирру, а потом в цехе ее мужа, Лешу, они на курс старше нас и уже год работают в Новосибирске. Нам они были рады, все рассказали, мы увидели цех, большой, грязный, в цехе работают почти одни мужчины, женщины ругаются матом, рабочий день 10–12 часов.

Тут же решили уехать. Я держала речь, а Майка плакала.

Вечером были в гостях у Леши с Миррой. Хорошие они люди. Первый раз за неделю мы пообедали. Когда прощались, Майя сказала: "Не поминайте лихом", и мы ушли.

Билеты достали с трудом. Ночевали на вокзале. В офицерском зале жарко, душно, всех гоняют, а нас почему-то не трогают.

На дорогу у нас осталось 10 рублей, грамм 300 сухарей и баранок и банка консервов.

Вагон общий, рядом с нами два парня из Новосибирска, один из них слесарь, добрый, покорный и по-детски глупый. Другой, напротив, умный, шутник, очень сильный. Он может успокоить ребенка, которого два часа уговаривают мать и соседи, может отдать солдату свою подушку, одеяло старухе, и все это так, в порядке вещей.

В первые два дня мы все съели, и 10 рублей тоже. Кое-кто знал нашу историю. Среди них – один летчик, очень симпатичный и очень безнравственный, предлагал мне ехать с ним на Украину, обещал помочь, дядя у него областной прокурор. Он угощал нас вафлями, конфетами, купил нам буханку хлеба.

Завтра Москва. Что меня ждет? Я знаю, дома мне рады не будут. Знакомые? Возможно, будут интересоваться нашей судьбой. Ведь это действительно любопытно, не больше. Я ни о чем не жалею, узнала много нового и интересного, видела хороших людей…»

Нехорошая вышла история. Сегодня, за давностью лет, осуждать неправых в ней не стоит, но и правые недостойны поощрения. История та отдает малодушием, первая вылазка «в жизнь» закончилась плачевно в прямом и переносном смысле слова, и ведь что удивительно – не избалованы они были, и не под колпаком росли, а гляди ж ты – отступили. Испугались крашеной бабы-матерщинницы, грязных улиц, наглых начальников, поиздевавшихся над ними. Но придет срок, будут начальники и похуже и крашеные бабы поярче, а без мата наша российская жизнь не бывает вообще. Но, может быть, не вопреки, а благодаря тому, что произошло в Новосибирске, больше они никогда уже не отступали. Ни «мимозная», с натянутыми нервами, иной раз плачущая от несправедливости и обиды, но все же стойкая и сдержанная Майя Кристалинская, ни «трудяга», обожавшая свою работу, свое КБ и своих детей Валентина Котелкина.

Что было дальше?

После того как поезд прибыл в Москву, беглянки ввалились в свои дома, представ пред недоуменными взорами их обитателей.

Дезертиров преследуют везде и всегда. Особенно когда они входят в противоречие с законами и установленными правилами. Уголовный навис над ними на тонкой ниточке, готовой оборваться от первого же прикосновения прокурора, следователя или кого угодно, готового свести с ними счеты.

И вот на другой день по приезде беглянки предстали взору начальника главка Министерства авиационной промышленности Тер-Маркаряна. Они стояли перед чиновничьим столом чуть ли не по стойке смирно. И конечно, с глазами, блестевшими от слез. Тер-Маркарян был человеком мягким, но по служебной инструкции обязан был строго реагировать на проступок, что означало – кричать на несчастных дезертирок, лупить по столу кулаком для пущей строгости. К чести его, он не сделал ни того, ни другого и, как ни покажется удивительным, поглядывал на беглянок по-отечески, хитро прищурив большие и ласковые армянские глаза.

В том, что вина их серьезна, они убедятся через несколько дней, когда из Новосибирска придет письмо за подписью директора завода. И не в министерство придет, а в народный суд как ходатайство перед законом о привлечении к уголовной ответственности выпускников Московского авиационного института гр. Кристалинской М. В. и Котелкиной В. И., самовольно оставивших место работы и т. д. и т. п. По статье такой-то Уголовного кодекса РСФСР.

Делу в министерстве должны были дать ход. Но оно «осело» у Тер-Маркаряна, а тот отчего-то не торопился, понимая, что лучшая защита беглых девиц – устройство их на работу; только так они начнут отдавать родному государству долг, затраченный на их обучение. К тому же Тер-Маркарян знал Майю раньше, был рецензентом ее довольно оригинального дипломного проекта, считал, что проект достоин отличной оценки (так оно и оказалось), и вот эта случайно оказавшаяся в их руках ниточка превратилась в канат, который позволил вытащить «преступниц» из ямы Уголовного кодекса. Тер-Маркарян велел им каждый день приходить в министерство и, сидя у дверей его кабинета, ждать, когда кто-либо из приходящих к начальнику главка директоров заводов или начальников КБ возьмет их к себе на работу. Но в министерство так просто не пройдешь, нужен был пропуск, вот его-то выписывал с просьбой никому об этом не говорить уже рецензент Котелкиной, начальник техотдела Бродзянский.

…Миллионы поклонников Майи Кристалинской не знают, что благодаря этим двум добрым людям (чиновникам, но и чиновники – несмотря на то, что издавна слово это означает взятки и волокиту, – бывают разными), вставшим на пути сурового сталинского закона, пересмотренного уже в наши дни, Кристалинская попала на эстраду, а не под суд. За подобные вольности тогда не щадили. Но на дворе был пятьдесят пятый год, страну согревала хрущевская «оттепель», и лучшим исходом в возбужденном уголовном деле было бы не обратить на него внимания, что и сделал молодой московский прокурор, который, вызвав к себе кандидаток в подследственные и увидев их скорбные и очень симпатичные лица с глазами, излучавшими чистоту и наивность, улыбнулся и, махнув рукой, отпустил с богом.

Вышинского бы им, этим «разгильдяйкам», Андрея Януарьевича, тогда узнали бы кузькину мать, поняли бы, как дезертировать с передовых позиций трудового фронта! Авиация-то у нас какая была сталинская!

Ровно месяц «дезертирки» сидели у кабинета Тер-Маркаряна, ежедневно приходили туда как на работу – к девяти утра. И уходили как с работы – в восемнадцать. Никому они не были нужны до тех пор, пока к Тер-Маркаряну не пришел замначальника КБ генерального конструктора Александра Сергеевича Яковлева, создателя знаменитых Яков, Михаил Григорьевич Бендерский. «Возьми, Миша – попросил его Тер-Маркарян, – двух девчонок – сделай одолжение» – «Двух сразу?» – «Ну да». – «Ладно, если ты просишь, пусть зайдут ко мне». – «Да чего им заходить, они здесь тебя ждут! Сидят у двери приемной».

Бендерский вышел из кабинета, вскоре вернулся и, улыбаясь, сказал: «Славные девчушки. Я уже с ними договорился. Завтра же зайдут в наши кадры». Но не все оказалось так гладко. Тер-Маркаряну пришлось еще собрать комиссию по трудоустройству выпускников. Майя и Валя пришли на комиссию – очи долу: ругайте, мол, но не отправляйте, все равно не поедем. Хотим работать у Яковлева. Зачем ехать за тридевять земель, где мы не очень-то нужны, когда в Москве тоже требуются люди. Да еще где – у Яковлева!

Слез не было. Было тихое неповиновение. Была вера в справедливость – не нужно порки, не нужно подзатыльников, отпустите, мы хотим работать.

Их отпустили с миром. И они стал работать у Яковлева.

Через три года Майя Кристалинская уволилась из КБ «в связи с переходом на другую работу» – в эстраду. Валентина Котелкина ушла через сорок лет – на пенсию.

Побег из Новосибирска они старались не вспоминать.

Глава третья

ЛОЛИТА ТОРРЕС ИЗ КБ

1. Генеральный конструктор

Итак, все оказалось не столь уж сложным в этой жизни – дорога в будущее шла прямиком, без особых изгибов. Идти по ней было приятно, вот только однажды Майя споткнулась, но судьба милостиво отвела удар и снова вывела на проторенный путь.

Начались обычные будни молодого специалиста со ста десятью рублями оклада за душой, сидящего за стареньким рабочим столом с аккуратными стопками таблиц, на которых, как муравьи, расползались сотни цифр. В этих буднях были свои правила и законы.

Рабочий день с 8.30 до 17.30. И никаких разговоров за столами – ни о женах, мужьях, детях, дефиците, футболе, кино, разводах, сногсшибательных романах у знакомых – и т. п. Только склоненные над столами молчаливые головы самых разных колеров – ничего не должно быть лишнего в эти часы, только то, что касается

1960-е

будущих самолетов. Группа аэродинамических нагрузок трудилась, как и все в КБ, истово. Чертила эскизы, считала-пересчитывала, бесшумно орудуя логарифмическими линейками, щелкая костяшками на металлических прутиках счетов. О, нынешняя авиаинженерия в КБ, сидящая у компьютеров и бегло справляющаяся с колонками цифр при помощи калькуляторов, тебе невдомек, что не так уж давно самые обыкновенные счеты выводили в пятидесятых новенькие самолеты из заводских ангаров, да какие лайнеры, да какие «ястребки», да какие спортивные быстроходы, бьющие все и всяческие рекорды!

И над всем этим «белым безмолвием», отгороженным от мира белыми шторами, обезличенным белыми халатами, выстиранными до глянцевой белизны, царит дух невидимый и грозный. Материализовавшись, он становится черноволосым с проседью и аккуратным, ровным, как взлетная полоса, пробором человеком в темном костюме с украшениями в виде двух золотых медалей Героя Социалистического Труда и бордовым депутатским значком с маленькими буквами «СССР» на лацкане пиджака. На дверях его кабинета висит табличка: «Генеральный конструктор Яковлев Александр Сергеевич».

Мимо кабинета следует проходить на цыпочках. Любить или не любить своего самого «верхнего» шефа – дело каждого, кто соприкасался с ним или только был наслышан о его крутом характере. Крутой же характер Сталина явно давал слабину, когда в его кабинет входил этот черноволосый молодой человек – явно незаурядный, преданный лично ему, Сталину, и советской авиации: сомнений в том у маниакально подозрительного вождя не возникало. Молитвенное предостережение классика – «минуй нас пуще всех печалей и барский гнев, и барская любовь» – на этот раз никак не работало: была только барская любовь.

Переступить порог сталинского кабинета и выйти из него, чтобы выполнять задание вождя, означало многое. Мало только выполнить, крайне важно было уложиться в срок, иного Сталин не терпел, и расплачиваться кому-то приходилось должностью (это в лучшем случае) или – головой. Яковлев выполнял задания четко, на себя и свое КБ мог положиться. Иной раз вызов в Кремль был поздним, для Сталина рабочий день ограничений, как известно, не имел. Разговор бывал долгим и заканчивался за ужином. А потом генеральный конструктор садился в свой ЗИС, подаренный генеральным секретарем, и ехал домой, по дороге обдумывая, с чего начать новое задание, как к нему подступиться. Это были новые самолеты, необходимые военной авиации. На случай войны.

Рано утром на следующий день Яковлев собирал «мозговой центр» КБ и излагал уже готовое решение. «Мозговой центр» расходился по кабинетам, чтобы выполнять, воплощать идеи генерального.

Может быть, из-за нескрываемой приязни бывшего хозяина Кремля или из-за своего непредсказуемого характера новый кремлевский властелин Хрущев не очень жаловал любимца Сталина. В проблемах строительства новых самолетов он разбирался не лучше, чем в живописи и скульптуре, а его «наскоки» по своему размаху напоминали тот незабываемый бульдозер, которому предстояло разнести в щепки выставку художников-модернистов.

С конца шестидесятых между станциями метро «Аэропорт» и «Сокол» на месте бывшей кроватной мастерской, о которой уже никто не вспоминал, начал расти кирпичный квартал, словно выстроенный из гигантских детских кубиков, – КБ генерального конструктора самолетов А. С. Яковлева.

Майя Кристалинская к тому времени была уже широко известной певицей.

Три года работы у Яковлева не были для нее только годами отдачи долга государству. Здесь Майя получила еще и то образование, которое пригодится ей, когда она певицей войдет в «плотные слои» артистической атмосферы. Ей не довелось встречаться с генеральным, но она много слышала о его личности и о встречах со Сталиным, о них в КБ ходили легенды. Каким бы жестоким и коварным ни был бывший правитель, Яковлеву он помог обрести уверенность в себе и стать тем, кем он вполне заслуженно стал.

И может быть, благодаря незримому генеральному конструктору, благодаря его подвижничеству, жесткому спросу за нерадивость, неряшливость, срыв сроков выполнения заданий у его сотрудников вырабатывалось ценнейшее человеческое качество – самодисциплина. Люди в КБ не позволяли себе расслабляться, они делали одно общее дело, и каждый вправе был считать себя ответственным за него.

И когда придет пора расстаться с КБ, когда Майя ступит на совсем иную стезю, далекую от инженерной, и самолеты станут для нее только обычным средством передвижения, она сохранит теплые и немного грустные воспоминания о тех годах, несмотря на однотонность тогдашней жизни и работы.

2. «Возраст любви»

Вчерашние выпускницы, с огромным трудом получившие свои места в этом КБ, для чего им пришлось проделать крюк от Москвы до Новосибирска и обратно, сидели тише мыши, боясь обратить на себя внимание, пугаясь любого косого взгляда – а их «беглянки» ловили нередко, – делали свою работу тщательно и вовремя, никогда не опаздывая даже на одну минуту, что считалось серьезным проступком. Они быстро освоились с той работой, которая была предложена им: хватало знаний, полученных в институте, усидчивости, появилась даже увлеченность. В отделе аэродинамики двух девчат из группы нагрузок приметили быстро, им стали доверять все более сложную работу, и для них вскоре уже не было никаких тайн – ни в расчетах, ни в вычерчивании точных эскизов по рабочим чертежам, ни во всем другом, где требовался опыт. Он приходил к ним с каждым днем, с каждым новым заданием.

Работали они быстро, задания выполняли в срок, который всегда оказывался предельно сжатым, но задачи ставились четкие, обдуманные многими службами и выверенные, и, когда дотошная Валя иной раз недоумевала – почему коэффициент здесь такой, а не другой, ведь это же неправильно, Майя сердилась на нее и, вопросительно глядя на подругу, одергивала резковато: «Валька, ты что – дура? Значит, так надо. Не теряй времени!»

И вопрос был исчерпан.

Расчеты прекращались лишь в тот момент, когда звонок приглашал на обед. В конструкторской столовой он занимал около получаса, а остальное время уходило на отдых – короткую прогулку или… на концертное мероприятие. Концерт был привилегией только отдела аэродинамики, состоявшего из четырех групп. И специалисты в области расчетов по вибрации и флаттеру, устойчивости и управляемости, а также аэродинамики приходили прямо из столовой слушать «солистку» группы аэродинамических нагрузок Майю Кристалинскую. Концерт не отличался большим разнообразием, и дело вовсе не в том, что певица была ограничена в своем репертуаре, но и потому, что были у аудитории и свои любимые песни: не споешь сама, все равно попросят. И прежде всего песни из фильма, который залетел к нам из далекой Аргентины и мгновенно покорил чуть ли не весь СССР, – «Возраст любви».

Соледад Реалес, героиня фильма, она же актриса, певица и танцовщица явно незаурядных способностей – Лолита Торрес, – безраздельно царствовала в кинотеатрах. С ней уже не могли сравниться ни постепенно исчезающая с экрана звезда номер один звукового кино Любовь Орлова, ни ее соперницы по популярности Марина Ладынина, Лидия Смирнова, Валентина Серова, Зоя Федорова. Фильмов выходило немного, но все же больше, чем в сороковых годах; появлялись моло-

денькие, иногда красивые, иногда
просто смазливые киноактрисы.
Снявшись в одном-двух фильмах,
каждая начинала претендовать на
«звездность», но реализация этих
претензий явно затягивалась, не
говоря уже о том, что в лучшем случае суждено им было стать только
звездочками в сравнении с некогда
ярким слепящим созвездием.

Но «Цирк», «Веселые ребята»,
«Волга-Волга», «Весна», «Свинар-
ка и пастух», «Сердца четырех»,
«Музыкальная история» с экрана не
сходили. Каждый шаг героев, каждую песню, каждый поцелуй все
знали наизусть. Вот тогда, в пять-

*Лолита Торрес
в кинофильме «Возраст любви»*

десят четвертом, и появилась на отечественном кинонебосводе новая,
но на этот раз «заморская» звезда. Ее, скорее, можно было бы назвать
кометой – на бешеной скорости она появилась над бескрайней терри-
торией Советского Союза. Комета из страны танго и футбола – Аргентины. Лолита Торрес.

Ее глаза на белом полотне экрана то наполнялись радостью и смехом, то хмурились, и слезы блестели в этих сумасшедше раскосых
глазах, казалось, инопланетянки. От ее танца, должно быть, замирали сердца и вздымался вихрь вожделений аргентинских миллионе-
ров, куривших сигары за столиками варьете, где работала Соледад Реалес. А когда она начинала петь, учащенно билось не одно мужское
сердце, закованное в броню равнодушия, но легко пробиваемое жен-
скими атаками.

И повалил зритель в кинотеатры, и впился в экран так, как не делал
этого с предвоенных времен, со времен Милицы Корьюс и «Большого
вальса», или послевоенных, когда поклонялся Дине Дурбин – наш зритель, наивно-легковерный, не ожесточенный войной и нищетой, видев-
ший сигары разве что в зубах дяди Сэма на карикатурах Кукрыниксов.

А Лолита пела, Лолита танцевала, влюбленный в ее Соледад Аль-
берто – капризный волоокий мальчик, сынок богача, – совершал

оплошность за оплошностью, доводил любимую до всплеска отчаяния – и она ушла от него, бросив его отцу реплику, бурно поддержанную всеми советскими кинозалами:

«Уходите! И вы, и он! Оба уходите! Вы можете не волноваться. Знайте, ваш сын мне больше не нужен! А его знатное имя мне никогда не было нужно! Слышите? Слышите?» И это было так.

Но победила любовь вкупе с предстоящим браком с «малышом», перед которым в Буэнос-Айресе открывались все двери и которому были доступны все цены.

И оказалось, что не только Буэнос-Айрес покорен бессребреницей Соледад – Москва протянула руку Аргентине, восхищаясь бурными страданиями девушки с глазами креолки.

Через три десятка лет Лолита Торрес призналась в одном из своих интервью в Москве: «Из всех ролей, сыгранных в кино (а их около тридцати), самая дорогая для меня – в кинофильме “Возраст любви”. Я всегда вспоминала об этой картине с особым чувством, во-первых, потому, что это одна из самых удачных моих работ в кино, во-вторых, благодаря этому фильму обо мне узнали в такой далекой стране, как Советский Союз. Тогда я только начинала свою карьеру и не могла себе представить, что смогу стать известной за пределами своей родины».

И все же главным магнитом фильма для советского зрителя, который был еще и преданным радиослушателем и посетителем концертных площадок, стали песни Соледад Реалес.

Тогда песенный бал правила легитимная королева – Клавдия Ивановна Шульженко. Но она выступала только на эстрадных подмостках, в кино не снималась (не считая фильма «Веселые звезды» начала пятидесятых, в котором участвовали Смирнов-Сокольский, Утесов, Рина Зеленая, Миронова и Менакер, Тимошенко и Березин, единственного – а жаль! – фильма в нашем кинематографе с участием многих мастеров эстрады; голубой экран тогда имел бледный цвет хилого новорожденного, и только контуры будущих концертов проступали на нем. А тут – кино, с песнями и танцами, театральной сценой и высокими чувствами, и все в красивой упаковке, а не какие-то там пастухи, доярки и стадо сытых коров. И песни из «Возраста любви», с их простыми и на редкость красивыми мелодиями, которые легко ложились на слух, стали на долгое время чуть ли не самыми популярными в стране. Они были переведены на русский язык, исполнялись в концертах чуть ли не всеми эстрадными певицами. Запомнить эти песни в русском переводе Майе не составляло большого труда, ей достаточно было один раз их услышать в кинотеатре и по радио. Но неожиданно для себя и для всех решила спеть их в оригинале, на испанском языке, и прежде всего «Чудесную Коимбру» – веселую песенку о студенческом городке в Португалии.

Рискну утверждать, что «Чудесная Коимбра» была у нас в стране самой любимой из всех любимых песен «Возраста любви». Майя с нее и начала, тщательно переписав русскими буквами текст с пластинки. Так обычно и поступают певцы, поющие на иностранных языках, знающие только, как звучат на испанском или польском слова «здравствуйте» и «до свидания». Упрекать за это нельзя, лучше поблагодарить исполнителя за то, что он по мере своих сил представил слушателю в подлиннике иноязычную песню. Выучить чужие слова не так уж и трудно, но вот произношение… Его может уловить не каждый, все-таки нужна какая-то склонность к языку. Майя же при ее редкой музыкальной памяти, безукоризненном слухе, восприимчивости к языкам легко могла освоить любое произношение.

И вот Майя на «сцене», то есть в проходе между столами. Начинается ее выступление, маленький концерт, до конца обеденного перерыва пятнадцать минут, можно спеть три-четыре песни. Но все, кто слышал ее концерты, запоминали их надолго. Певица без рояля, гитары, аккордеона пела так, как не пели многие исполнительницы даже в сопровождении оркестра. Создавалось впечатление, что сопровождение ей вовсе не нужно. Конечно же, так только казалось, потому что певица была своей, не из гастрольного объединения и не за концертную ставку пришла петь во время обеда: ей вполне хватало только аплодисментов и восхищенных взглядов слушателей в белых халатах. Как поступают умудренные опытом артисты? Свои шлягеры обычно поют в конце. Но Кристалинская именно с них и начинала первые в жизни сольные концерты. Их любят, значит, незачем утомлять слушателя ожиданием. Конечно, песни Майя не объявляла, но стоило ей произнести только одно первое слово «Коимбра», как комната оживлялась и раздавались хлопки. И вот уже песня с признанием в любви к родному городку кружила в маленьком зальчике, Майя пела сначала по-испански, затем переходила на русский, а заканчивала снова на языке оригинала:

Коимбра – любимый наш город, Ближе нет тебя и краше,
Мы позабудем не скоро свет из окон старых башен.
Мой город – родной, знаменитый, сколько связано с тобою,
Нет тебя чудесней, отдаем тебе мы песни,
Наше чувство вечно молодое...

Первые два куплета Майя пела по-испански. А вот припев – по-русски:

Фадо, фадилья – любимый танец мой,
Фадо, фадилью – танцуем под луной.
Под португальским под волшебным небом нашим
Луне на зависть мы любой танец пляшем.
Фадо, фадилья – хоть обойди весь свет,
Для португальца прекрасней танца нет!

Комната наполнялась аплодисментами, они были дружными и громкими – три десятка искренних поклонников в небольшом помещении могут выразить свой восторг не хуже, чем тысяча их в большом зале.

Потом Майя пела еще одну песню из «Возраста любви» – «Не смотри на меня», но «Коимбра» все же оставалась вне конкуренции.

«Возраст любви» иногда нет-нет да и мелькнет у нас, теперь уже – на телеэкране. Он воспринимается зрителями как фильм прошлых лет, каких показывают немало. Но наивность его по-прежнему отзывается комком в горле. В фильме никто не стреляет, не насилует, не мчится в шикарном автомобиле, спасаясь от полиции.

И это так приятно в нашей цинично-сумасшедшей жизни...

Глава четвертая

ДРУЗЬЯ ИЗ ПРОШЛОГО

1. «Догони, догони!..»

Пути Господни, как известно, неисповедимы. Можно сказать, что случай вел Кристалинскую, не имевшую не только музыкального образования, но даже обычных, самых элементарных сведений о том, из какого сора растет музыка, перефразируя известную фразу Ахматовой о стихах. Сор – реалия чрезвычайно условная, особенно в такой эстетически защищенной области, как музыка.

Нельзя сказать, что Майя поставила себе задачу стать певицей – оперной или эстрадной, не важно какой. Кто-то из ее друзей утверждал, что она помышляла об опере, насмотревшись спектаклей в театре тети Лили и дяди Паши, и благодаря радио выучила несколько популярных арий. Верить этой версии не приходится: при всем своем романтическом отношении к жизни Майя Кристалинская прекрасно понимала, что её вокальные данные совсем не пригодны для оперной сцены, что в лучшем случае при всех огромных усилиях – обучении певческому искусству в музыкальном училище – она окажется только среди исполнителей вторых или третьих партий, а первых ей никогда не видать – диапазон ее голоса слишком мал, сила звука невелика.

Майя любила петь. А если точнее, Майя обожала пение. Лев Толстой как-то бросил предостерегающую фразу в адрес начинающих: если можете не писать – не пишите. Майя не могла не петь, что в дальнейшем и определило ее место в жизни, бросило в красивый внешне, но засасывающий с головой омут эстрады.

Да, Майя Кристалинская в первые двадцать лет своей жизни, при всей тяге к пению, все-таки видела себя инженером. Человек характера спокойного, даже немного застенчивого, она не стремилась к известности, любя искусство в себе, а не себя в искусстве, что больше

всего во все времена двигало девчонками-подростками, мечтающими
стать эстрадными певицами. Громкие имена кумиров не дают им покоя, яркие туалеты становятся допингом, рождая маниакальное желание появиться на сцене во что бы то ни стало. Письма, написанные
старательным круглым девичьим почерком, в те дни ложились на столы редакторов телевидения, радио и газет, превращая столы в скиф-
ские курганы. Соискатели успеха кричат о помощи. Как-то журнал
«Музыкальная жизнь» передал несколько подобных писем Майе Кристалинской, уже ставшей известной певицей, – к ней домой пришел
корреспондент. Ее ответ, напечатанный затем в журнале, в специаль-
ной статье, где, кроме нее, с советами выступили Клавдия Шульженко,
Гелена Великанова, Эдита Пьеха, Елена Камбурова, выглядел лаконич-
но: «Если девочки хотят стать эстрадными певицами, пусть начинают
со школьного хора, потом обязательно получат какую-нибудь профессию и параллельно занимаются в художественной самодеятельности».

Читая очерки об известных вокалистах, слушая их рассказы в эфире,
удивляешься редкому единообразию начала их творческого пути, тем первым шагам, которые они делали, выйдя из отчего дома, где пели чуть ли не
все – и мама и папа, и дедушка и бабушка, и тетя в деревне, знаменитая на
всю округу певунья. Значит, человек, будущая знаменитость, уже с рождения
носил в себе певческий талант. Ему оставалось только его обнаружить, обна-
родовать и затем – шлифовать. Вот тогда-то и начиналась самодеятельность.

Студенткой-первокурсницей, поступив в МАИ, Кристалинская пела
на студенческих вечеринках и вечерах. Первые не были так уж часты.
Для них требовался повод – окончание сессии, красный день календаря, встреча Нового года. Вечеринки бывали вскладчину: собирались на
квартире одной из сокурсниц в просторной комнате за столом, за бутылками «Гурджаани», винегретом, селедкой, бутербродами с красной
икрой – дешевле ничего нельзя было придумать. Собиралась шумная
и певучая компания, пели студенческие песни, как правило – под гитару.

В Москве «ходило по кругу» много таких песен, их студенты распева-
ли не только на вечеринках, но и в турпоходах, в автобусах, везущих их
на картошку. На мелодию какой-нибудь известной лирической песни
неизвестным солдатом поэзии слагались новые, иронические стихи,
и теперь эта песня относилась уже к народному творчеству.

А вот институтские вечера – это уже другой сорт развлечений и отдыха.
В отличие от камерных, домашних, они носили более строгий характер

и уж непременно проходили под идеологическим контролем: развлекаясь, не нужно забывать текущий момент. Учитывая, что вечера устраивались под праздники и даты, никаких вольностей не полагалось.

Накануне Майя с Валей – они были в числе организаторов вечера – решили раздобыть «свеженькие» стихи и позвонили, по своему усмотрению, поэту Льву Ошанину. Поэт был явно польщен звонком, пригласил студенток к себе, угостил их дорогими конфетами и новыми стихами, еще нигде не напечатанными. Валя их тут же переписала на листок – запачканный кляксами, когда-то синенький, он и теперь хранится в ее архиве, – и гостьи ушли, окрыленные: подумать только, настоящий поэт принимал их у себя дома и дал согласие приехать в МАИ.

Никто не мог предполагать, что следующая встреча Кристалинской и Ошанина состоится спустя десять с лишним лет, когда Майя будет уже известной певицей. И последний концерт в жизни Майи тоже будет связан с его именем.

А вот когда поэт под аплодисменты зала удалился, на сцену вышло самодеятельное, студенческое искусство. Выпорхнула бабочкой худенькая первокурсница в красном платье. Зазвучал рояль, немного расстроенный, но вполне приличный для того, чтобы услышать «Весенние воды» Рахманинова.

Ведущий с копной каштановых волос объявил следующий номер. Всего четыре слова: «Далеко, далеко» исполняет Майя Кристалинская. Потом после короткой паузы добавил: «Студентка первого курса пятого факультета». И удалился.

Майя в тот вечер впервые появилась перед аудиторией. Зал был переполнен. У стен стояли, чуть ли не обнявшись от тесноты, прижавшись друг к другу, те, кому кресла не достались. На торжественное заседание они не пришли, а вот на концерт протиснулись, к тому же были объявлены еще и танцы.

Перед глазами Майи все плыло – большая люстра на потолке погашена, горели софиты по бокам сцены, отгораживая от нее зрительный зал туманной кисеей, и нужно было вглядываться в зал, чтобы разобрать лица. Так будет много раз, спустя несколько лет перед Майей пройдут залы самой разной величины – от маленьких клубных до зала Дворца спорта в Лужниках, и везде слепят софиты. Если нечаянно взглянуть в их огненный зрачок.

Но ощущение праздничности не отступит никогда.

Майя, выйдя в переполненный зал, немного оробела, нерешительно подошла к авансцене – одно неверное движение, показалось ей, она оступится, и... она слышала, как пианистка, ее аккомпаниатор и однокурсница, та самая худенькая девочка в красном платьице. Остановившись у самого края авансцены, освещенная со всех сторон софитами, Майя повернулась к роялю, – как делают настоящие певицы; услышала вступление к песне – несколько аккордов разной высоты – и запела:

Далеко, далеко,
Где кочуют туманы,
Где от легкого ветра
Колышется рожь,
Ты в родимом краю,
У степного кургана,
Обо мне вспоминая,
Как прежде, живешь...

Теперь Майя увидела притихший зал, людей, смотревших на нее пристально, они как-то сразу выплыли из тумана и обрели реальность. «Не забыть слова... не забыть слова...» – лихорадочно, быстро, как на телеграфной ленте, пронеслось вдруг в голове, но испуг был напрасен, губы сами открывались, и слова, слетая с них, уносились в зал и гасли в последнем ряду.

Небосвод над тобой опрокинулся синий,
Плещут быстрые реки, вздыхают моря,
Широко протянулась родная Россия,
Дорогая отчизна, твоя и моя...

Слова Майя произносила четко, не артикулируя при этом, голос хорошо был слышен в зале. Микрофона не было – тогда они были только привилегией радиостудий, голос не возвращался к певице из зала, усиленный и оглушающий, но Майя чувствовала, что зал хорошо слышит ее, хоть и пела негромко, не напрягаясь.

Раздалось несколько первых хлопков, сначала они посыпались, словно кто-то разбросал их, потом соединились, превратившись в крепкие и дружные аплодисменты. Майя обвела зал глазами, и ей показалось – и на самом деле так и было, – что хлопает весь зал, и не было таких, кто не соединил мелькающие ладони на мгновения, чтобы поблагодарить певицу. Неужели успех? Подумать только, ведь ей никогда так не хлопали. Она стояла растерянная.

На сцену вышел все тот же молодой человек с каштановой шевелюрой, зал еще продолжал рукоплескать, а когда аплодисменты растворились в наступающей тишине, вдруг превратился в заправского конферансье, сказав небольшую тираду в шутливом тоне – о том, что в институте появилась новая звезда, что сегодня состоялся ее дебют и что многие институты Москвы боролись за право принять Майю Кристалинскую в свои стены, но она вот выбрала авиационный, оказав нам большую честь. Зал дружно хохотнул и снова захлопал, одобряя ведущего.

«На катке» – этими словами ведущий закончил свою речь, явно произнесенную с умыслом, чтобы успокоить оробевшую девушку.

И опять раздались хлопки – на этот раз зал одобрил известную песню, которую часто крутило радио.

Теперь Майя уже не боялась зала, он ей казался не таким чужим и не грозным экзаменатором, затаившимся, чтобы провалить ее короткими вежливыми аплодисментами, быстро гаснущими, а оттого и унизительными: тебе делают одолжение, учти это – и больше сюда не суйся. Но нет, этого не произошло, и все случилось как раз наоборот.

Снова, теперь уже не робкий, поворот в сторону пианистки, кивок головы, и уже летят аккорды, один, второй, третий, только более быстрые, чем в первой песне, – на катке шагом не ходят, как бы предупреждала песня. И, улыбнувшись, Майя запела:

> *Вьется легкий вечерний снежок,*
> *Голубые мерцают огни,*
> *И звенит под ногами каток,*
> *Словно в давние школьные дни...*

Теперь уж не думалось о том, как бы не забыть слова, она пела легко и свободно, дыша полной грудью, слыша только вот этот режущий звук коньков, ей виделся лед, залитый светом ярких фонарей, окаймлявших белую, посыпанную снегом площадку, и счастливые пары, которые, взявшись за руки, скользят в такт музыке.

> *Вот и мчишься туда, где огни,*
> *Я зову, а тебя уже нет...*
> *«Догони! Догони...»*

Эту фразу Майя спела так. будто она сама кричала, а не та девушка на снегурках в спортивном костюме – шаровары, курточка на молнии, красное кашне вокруг шеи, пуховая шапочка, а из-под нее разлетаются в разные стороны пряди светлых волос.

> *«Догони, догони», –*
> *Ты лукаво кричишь мне вослед...*
> *«Догони! Догони...»*

2. Агитбригада

Подготовка к выборам в Верховный Совет СССР и всякие другие Советы была тщательная, массовая, создавались участковые избирательные комиссии, агитпункты и агитбригады. Больше всего их было в институтах, состоящих из молодняка в несколько тысяч, – а кому, как не охочим до всякой деятельности студентам, замученным экзаменами и курсовыми проектами, ринуться в эти бригады? К тому же, если сам не проявишь желания, имея творческие способности, в комитете комсомола тебя поправят.

И вот такой агитбригадой, «сколоченной» для развлечения избирателей, и руководил тот самый молодой человек, ведущий первого в жизни Майи Кристалинской концерта – Леня Сурис. Был он личностью в институте заметной, и однажды именно ему доверили провести концерт в честь юбилея МАИ – да не где-нибудь, а в Большом зале консерватории. «Командовал» он своей агитбригадой по-деловому, было видно, что для Лени это не просто комсомольская нагрузка, а занятие приятное, которое он еще и хорошо знал.

Таких бригад МАИ преподнес райкому несколько, но Сурис изо всех сил старался, чтобы его была лучшей. И не для того, чтобы выслужиться перед всесильным комитетом ВЛКСМ, нет, – иначе он просто не мог. Не карьерные энтузиасты, стремившиеся попасть в верхние эшелоны комсомольской власти, а светлые люди с чистыми помыслами.

И Леня Сурис набрал агитбригаду, равную которой по составу в комсомоле встречались нечасто. Судите сами: в нее входили одна будущая народная артистка, а другая – заслуженная. Правда, тоже в будущем. Их нашел в институте Леня.

Сердце у Лени было доброе, голова – мудрая, несмотря на возраст, а душа – открытая. Такие бесследно не исчезают из жизни своих друзей и знакомых, их можно не видеть годами, но вспоминаются они именно тогда, когда необходимы.

Именно Сурису позвонила Майя в тот августовский день пятьдесят пятого года, когда поезд Новосибирск – Москва выбросил ее и Валю Котелкину на перрон Казанского вокзала. Леня уже работал в КБ Яковлева и удивился, услышав в телефонной трубке голос Майи. Узнав о том, что произошло, немедленно пригласил беглых девчат к себе домой. Напоив чаем и выслушав их исповедь, Леня тут же дал дельный совет, иначе Сурис не был бы Сурисом: идите, девочки, в министерство, прямо к начальнику нашего главка Тер-Маркаряну, а не в управление кадров к чиновникам, они вас по этапу отправят обратно в Сибирь, да еще в кандалах. Только к Тер-Маркаряну, милые девочки, он человек отзывчивый, добрый и пороть вас не будет.

Так Леня Сурис сыграл еще одну положительную роль в пьесе, которую писала для Майи ее судьба.

А первую роль Леня сыграл несколькими годами ранее, когда предложил прийти в агитбригаду «штатной» исполнительницей эстрадных песен. И было это после того самого концерта в клубе МАИ, о котором мы уже знаем. Ошеломленной успехом дебютантке Леня быстро доказал, что дважды два – пять, певческую славу необходимо обретать сразу, не дожидаясь, пока тебя пригласят на сцену добрые дяди и тети. Леня был настойчив и не обращал внимания на слабые протесты Майи – та лепетала, что не собирается становиться певицей, а мечтает быть только инженером, хочет строить самолеты, поет же лишь из любви к искусству.

И все же Кристалинская согласилась работать в агитбригаде.

Уже полным ходом шла кампания по выборам в Верховный Совет СССР, – все было просто: никаких интриг, разборок, обливания конкурентов грязью, пересмотров итогов.

День выборов в нашей стране считался праздником, но начинался он за несколько месяцев до голосования на агитпунктах, куда приезжали артисты, как профессионалы, так и самодеятельные. Агитбригада Леонида Суриса работала безотказно, ее зрителями были – как и у всех агитбригад – те же пенсионеры, жильцы близлежащих домов помоложе, не знавшие, как убить время после работы, и ребята со двора, курившие в подворотне, – их в агитпункт загонял всесильный домоуправ.

Концерт всегда открывал Леня – чтением стихов своих любимых поэтов Симонова и Щипачева («Любовью дорожить умейте, с годами –

дорожить вдвойне, любовь не вздохи на скамейке и не прогулки при луне» – очень уж популярны были эти стихи).

А потом выступали певицы. Их было две. Майя Кристалинская выходила «на публику» немного волнуясь – к прилюдному пению она еще не привыкла. Здесь не было софитов, люстр, да и сцены как таковой не было – так, закуток перед стульями, на которых сидели зрители. Майя становилась к пианино, и уже не девочка-первокурсница сидела за ним, а аккомпаниатор из хоровой секции клуба. Разучить песню с профессионалом для Майи было делом быстрым, слух ее и музыкальная память никогда не подводили, но все же девушка подумывала о том, что надо научиться читать ноты, а то получается нечто вроде сельской самодеятельности...

Следующая певица исполняла романсы. Да какая певица! Статная, с правильными чертами лица, взгляд ее карих глаз был серьезен и мог показаться даже холодным, но теплом от него веяло сразу, как только она начинала петь. В девушке была изысканность, чувство собственного достоинства, будто происхождения она была княжеского.

Звали певицу Галиной, и она пела низким грудным голосом, ему было тесно в жэковском зальчике, но впечатление было такое, будто поет она не в агитпункте, а на сцене Большого театра или по крайней мере в консерваторском зале на улице Герцена. Галина пела романсы, «Хабанеру», и сама Кармен, казалось, стояла, подбоченясь, перед поедающими ее глазами случайного зрителя:

У любви как у пташки крылья,
Ее нельзя никак поймать.
Тщетны были бы все усилья,
Но крылья ей нам не связать...

Это была настоящая Кармен, не хватало только алой розы в ее волосах.

Вскоре она уйдет из МАИ и поступит в музыкальное училище.

Покинув Москву, Галина уехала в Куйбышев, где быстро стала ведущей солисткой оперы, а затем уже в Ленинграде, в Кировском, пела двадцать лет ведущие партии.

Она быстро завоевала славу одной из самых ярких вокалисток страны и пела с оглушительным успехом не только оперные партии, но и старинные романсы.

Теперь ее имя было известно всем – Галина Карева...

Вот каких будущих звезд собрал неутомимый Леонид Сурис в своей скромной труппе, именуемой агитбригадой.

В пятидесятом Галя Карева работала в лаборатории моторостроительного факультета. И ее, так же как и Майю, приметил всевидящий Леня Сурис, услышав однажды на концерте в институтском клубе. А уговорить красивую девушку прийти к нему в агитбригаду неотразимый Леня, как мы уже знаем, мог без большого труда.

Галя была немного старше Майи, всего на два года, их можно было принять за подруг-сверстниц, а вот что касается пения, Галя оказалась поопытнее и стала для Майи несомненным авторитетом.

...Обычно заправские артисты уходят с рядового концерта после своего номера, но у агитбригады был другой закон – пришли вместе, вместе и уйдем, слова благодарности зрителей после концерта – на всех; потом шли к троллейбусу всей компанией, а вожак – Леня Сурис – впереди. В троллейбусе Галя и Майя садились рядом, вместе ехали до метро и весело болтали. Но однажды Карева вдруг прервала «дамскую» болтовню и, взглянув на Майю, серьезно сказала:

– Слушай, Майка, а тебе ведь учиться надо.

– Ну а я что делаю? – удивилась Майя.

– Я не про институт, я – про вокал.

Она так и сказала – «вокал».

– А что, – насторожилась Майя, – я плохо пою? Ты честно скажи...

– Нет, что ты. Хорошо поешь... И голос – есть. Я бы даже сказала – редкий у тебя голос. Тебе разве не говорили?

– Ну, так... – Майя смутилась. – Иногда.

– Вот и я говорю. Тебе педагог нужен. Мне кажется, из тебя хорошая певица получится. Будешь петь на эстраде... «у любви как у пташки крылья...» – пропела, улыбнувшись, Майя. И вдруг, озорно взглянув на Галю, предложила: – Давай дуэтом споем?

– Я ведь тебе серьезно говорю, Майка. Ты будешь классная эстрадная певица. Начни с вокальной студии хотя бы... Или нет, не стоит. Там тебе всю твою природу испортят. Ты ведь не ширпотреб... Иди лучше в хор. Да, почему бы не пойти в хор? Займешься сольфеджио, научишься читать ноты. В институте хором занимается Ира Колик, очень толковая девочка. Иди к ней.

Глава пятая

НАСТАВНИКИ

В конце 1956 года вышла на экраны «Карнавальная ночь» – фильм «на все времена», потому что Новый год никто отменять не собирается. Ну чем не подарок студийцам из самодеятельности? Это ведь о них такой веселый фильм и о косном директоре Дома культуры с хваткой цензора (даже на самодеятельном уровне тоже должна быть цензура) – хорошо, что его сумели отсечь от концерта, но, увы, такое бывает только в кино.

В клубе Московского авиационного института первокурсникам предлагали на выбор все то, что положено в типовом столичном клубе. Будущий авиаинженер на пять счастливых студенческих лет мог стать драматическим артистом, хористом, вокалистом и даже мог записаться в оркестр русских народных инструментов.

Хор в МАИ был не один, а несколько. Диву даешься – вот в таком институте, как авиационный, хоры были чуть ли не на каждом факультете, и можно даже предположить, что на приемных экзаменах мог быть задан вопрос по голосоведению. И не ответивших на него в институт не брали...

Естественно, что факультетские хоры соперничали друг с другом, причем вполне корректно, и хор на хор стенкой не ходил. Ежегодно устраивались смотры, выводя на плац – клубную сцену – хоровые коллективы. В жюри входили строгие ценители этого вида искусства, и уж не дилетанты из МАИ, а приглашенные профессионалы.

На сцене перед хором стояла невысокая светленькая девушка, чьи руки мастерски управляли голосами доброй сотни выстроившегося на сцене этого замечательного братства, знаменующего человеческое единение. Девушку звали Рина – и не в честь известной киноактрисы и мастера детской имитации Рины Зеленой, а просто упрощая в экзотическое и ласково-уменьшительное имя Ирина.

Она была миловидна, женственна, но мягкость девичьих движений сочеталась в ней с упругостью жеста дирижера.

Еще до поступления в консерваторию Рина Орлова-Колик появилась в МАИ, где требовался дирижер-хоровик. Ее привели друзья. И Рина горячо принялась за дело, да с таким усердием, что за нее боролись факультеты. Ей предложили более сбалансированный по составу факультет – пятый, инженерно-экономический, девушек здесь, естественно, было много, и вот там-то и обосновалась надолго Рина. И правильно сделала – именно этот хор ее стараниями сделался наиболее гибким и управляемым – и на ближайшем смотре оказался в числе лауреатов.

Одно было плохо: не хватало хорошей солистки, знающей советскую песню и обладающей голосом, который не нужно было ставить. Это задача педагогов-вокалистов.

А где взять ее, солистку?

Не через деканат же искать...

Досады своей Ирина не скрывала, выдвинуть кого-то из хористок не могла – в хоре они хороши, но петь соло – совсем другое дело, не каждый же солдат может стать фельдмаршалом. В программе хора классики не было, только советские песни – время обязывало, да к тому же песни наши были хороши. Она не помнит, кто вдруг впервые произнес это имя – Майя. Услышала его еще и еще. И кого бы ни спросила, все называли не задумываясь – Майя и добавляли фамилию: Кристалинская...

«Подошла ко мне очаровательная девочка, – запомнилось Ирине Орловой-Колик, – лет восемнадцати, глазастая, не очень застенчивая, очень обаятельная. Мы с ней очень подружились».

Познакомившись с Майей и приступив к репетициям, Рина сразу же обнаружила две вещи. Первое: Майя человек явно незаурядный, обладающий голосом, не похожим ни на один, слышанный ею когда-либо. Голос не сильный, не оперное меццо, но тем не менее с трогательной эстрадной интонацией, к тому же – «полетный». Что-то в ней было такое, что заставляло слушать, забыть все, когда она пела.

И второе. С ней следовало работать. Дать элементарные понятия о музыкальной грамоте, о которой она имела самое смутное представление, распевать ее или, как говорят вокалисты, разогревать. И конечно, работать над программами.

Рина сразу же заметила, что Майя не робкого десятка. И не боится сцены. Занятия с ней начались сразу же.

«Учительница первая моя» – так могла бы назвать Рину Майя Кристалинская и спеть для нее школьный вальс Дунаевского, без которого и по сей день не обходится первое сентября. Но Майя в ту пору не задумывалась о том, будут ли вторая, третья учительница. Она пела, потому что не могла не петь, и аккуратно ходила на лекции, семинары и лабораторные работы, в сессии сдавала экзамены и зачеты, числилась студенткой успевающей и переходила с курса на курс в полном соответствии с планом учебной подготовки специалистов в области самолетостроения.

Первый курс, второй, третий... Кажется, так будет до самого окончания института – учеба в «сопровождении хора». Два-три раза в неделю оставаться после занятий на репетицию. Но в конце четвертого курса Орлова-Колик объявила, что покидает институт. И действительно, ее уход стал болью для доброй сотни студентов, влюбленных в это потрясающее изобретение человечества – хоровое пение.

Рина попрощалась с МАИ, но институт все равно прочертил след в ее жизни – там остались ее бывшие хористы, забыть которых было невозможно. Но для Майи Рина не исчезла. Она могла снять трубку, позвонить ей и, услышав доверчиво-деликатный голос Рины, тихо сказать: «Рина, это я. Можно к вам?» И услышать радостное: «Да, Майка!» И Рина, готовая немедленно распахнуть двери, уже торопила ее: «Давай быстрее! Ждем!»

Следующей наставницей Майи стала Елизавета Алексеевна Лобачева. Она была художественным руководителем хора в ЦДРИ, но однажды, обидевшись на несправедливость, покинула свой пост хорошо известного в Москве хора, созданного и поставленного на ноги ею же, и ушла, хлопнув дверью, и весь ее хор – все сто пятьдесят человек бросили свой уютный и престижный дом и пошли за ней, чтобы снова быть рядом и снова петь по взмаху только ее руки, и ничьей другой. Такого в Москве еще не бывало. Хор в этот день сменил всего лишь свое название.

Елизавета Алексеевна рассказывада:

– На конкурсе мы прослушали огромное количество тех, кто хотел у нас петь, – более пятисот человек. Это были сливки Москвы. Мало того, пришел студенческий хор ЦДРИ – семьдесят чело-

Е. Лобачева. 1954

век. А всего сто пятьдесят человек были в хоре. Мы с моими хормейстерами отбирали...

– А когда Майя к вам пришла?

– В первый же день конкурса. А пятого сентября была уже первая репетиция.

Майю я заметила как-то сразу. Девочка с чудесными добрыми глазами. Запела, понимаете, и первое, что я почувствовала, – в душу лег ее голос. Тембр необычный, красивый, голос не очень был сильным, грудные, мягкие ноты. И вся она была такая обаятельная, такая женственная девуленька. Все туры она прошла без натяжек, я ее посадила в партию меццо-сопрано, у нее был высокий альт, и она начала заниматься вместе с девочками. А полюбили ее сразу, она излучала теплоту, скромная, никуда никогда не лезла.

Был случай, единственный, когда я ей сказала: «Майечка, ты нечисто поешь». Она была возмущена и – заплакала. Я ее оставила после репетиции: «Иди сюда, говорю, моя хорошая».

– А как вы почувствовали?

– А я ходила и слушала. Это был первый год работы. Ее всегда хвалили, а тут... «Давай, говорю, мы с тобой попоем». И когда я начала с ней петь, она сразу же поняла разницу между моей интонацией и своей. «Все поняла»,– говорит. И больше никогда подобного у нас не было.

– Она не была солисткой?

– Нет. Пела только в хоре. Вот, может быть, поэтому она и ушла. Были голоса посильнее и шире по диапазону. А у Майи был камерный голос. Она никогда не претендовала на то, чтобы быть солисткой. А вот на вечерах хора я видела ее совсем в другом плане. Из скромной девочки она превращалась в такую актрису, такую Лолиту Торрес! Она ее очень любила и пела ее песни бесподобно.

Часто я занималась с нею у себя дома, на Неглинной, я жила в коммунальной квартире, и когда Майя приходила, ее соседи мои хорошо встречали, а это с ними не всегда бывало.

А еще на вечерах она пела русскую песню, народную – «Не велят Маше на реченьку ходить». Я еще удивлялась, как она из шаляпинского репертуара попала к ней? С большой душевностью пела. Помню, я подумала: девочка она совсем молоденькая, а чувства такие взрослые...

Чем дальше уходит время, тем о нем труднее писать. И вовсе не потому, что наша память несовершенна, что целые пласты событий выветриваются из нее. Приходят новые поколения, они любопытны, это свойство молодости, но любопытны только к тому, что окружает их, и не очень – к ушедшему.

Как же так случилось, что Майя Кристалинская, бывая в пятьдесят четвертом в ЦДРИ, могла пройти мимо его афиш об открытии эстрадной студии и конкурсного набора в эту студию?

Оказывается, могла, хотя афиши читала и знала условия конкурсного приема, которые вполне ей подходили в вокальной части.

Конкурс Майю не страшил – трагедии не случится, если ее не примут, а вот если примут, значит, нужно расстаться с хором и Елизаветой Алексеевной. Как же так? Только пришла в хор, только включилась в репетиции – и до свидания? Хорошо бы, если примут в эстрадную студию, еще остаться при этом в хоре, но где тогда взять время для института? Это как в детском стишке: «Драмкружок, кружок по фото, мне еще и петь охота». Петь-то очень охота, вот и останется Майя в хоре; раз начала – нужно продолжать.

А студия – придет время, посмотрим.

Будучи человеком серьезным, Майя Кристалинская не так легко расставалась со своими привязанностями. С ее точки зрения, это граничило с легкомыслием, а с последним, если вдруг проявится, надо решительно бороться.

Она твердо решила: в конкурсе участвовать не будет, петь будет только в хоре Лобачевой – и баста. Никаких колебаний. И на приглашение одной из девушек-хористок, красотки и хохотушки, вместе пойти на конкурс – одной, дескать, страшновато – Майя только подняла свои большие, ставшие сразу холодными глаза и ответила коротко «нет»!

И продолжала ездить на Кропоткинскую после лекций, наскоро выпив чаю с подвернувшимся еще горячим пирожком в институтском буфете – стоять в очереди в столовой и тратить время на обед было некогда; она мчалась к метро, а потом на Кропоткинской, втиснувшись в переполненный трамвай, ждала объявления кондуктора: «Левшинский переулок» – и выскакивала из трамвая. Тем временем на Пушечной вовсю кипели страсти. Во-первых, появились незнакомые завсегдатаям этого дома лица – сплошь молодые и симпатичные и облепили дверь в зрительный зал, где проходил просмотр; во-вторых, будто яблоко раздора прокатилось по столу, за которым сидели мэтры эстрады: Утесов, Набатов, Смирнов-Сокольский, Рина Зеленая, даже профессор консерватории, долгое время прославлявшая Большой театр, Барсова, – спорили в рамках приличий, но яростно. Последнее слово оставалось за Леонидом Осиповичем как председателем комиссии. Первый тур, второй, третий... Победителям не выдавали дипломов, не награждали звания ми лауреатов, их зачисляли в эстрадный ансамбль ЦДРИ, и с этого момента они становились «артистами».

Кого только не было в толпе осаждающих заветную дверь! Тогда имена многих из них не были знакомы ни членам жюри, ни их ревнивцам-соперникам – просто потому, что имен еще не было. Их узнали потом, спустя годы, им необходим был разбег, и они получили его в эстрадном ансамбле ЦДРИ.

Нельзя сказать, что Пушечная потрясла Москву чем-то не виданным доселе в цивилизованной советской столице. В те годы эстрадные обозрения, исполняемые театриками, состоящими из энтузиастов, были на прицеле у студенческой части цивилизованной советской столицы. Кроме старшего по возрасту «Телевизора» в МАИ шумел – сначала на всю Большую Пироговскую, а потом и за пределами Садового кольца – ВТЭК, где впервые публично оттачивали свое остроумие Аркадий Арканов, Григорий Горин, Альберт Аксельрод. Их ВТЭК, конечно же, не занимался вопросами установления инвалидности, его делом было смешить студентов, и он выполнял его весьма и весьма успешно: зал хохотал навзрыд, а в расшифрованной аббревиатуре угадывалось истинное при звание его создателей – «Врачебный театральный эстрадный коллектив».

И все же на Пушечной создавалось нечто новое, не виданное в середине пятидесятых годов в Москве. Настоящий, многоликий по жанрам и внушительный по количеству самодеятельных артистов эстрадный ансамбль. Он был призван создавать всевозможные обозрения. И первое такое обозрение было символично названо «Первый шаг» – название это прикрепилось потом к ансамблю надолго. Он так и остался в истории ЦДРИ и. московской эстрады – «Первый шаг», несмотря на то, что дальше были сделаны второй, третий, рождались программы с другими названиями, но первенец оставил самый яркий и глубокий след. Юбилей подобной «шагистики» отмечался зимой девяносто девятого; в зале ЦДРИ сидели, как теперь любят говорить, «седые ветераны», но далеко не все, кто составлял этот дружный ансамбль сорок пять лет назад: иных уж нет, а те далече...

Об этой ораве способных и увлеченных Илья Суслов вспоминал так: «Среди нас был и Илья Рутберг, умевший делать пантомиму и дико смешно изображать студента, который сдает экзамены по шпаргалке незадачливому профессору; и Савелий Крамаров, тихий еврейский мальчик, который лихо изображал хулиганов, и Майя Кристалинская, и Гюли Чохели, и Майя Булгакова, и А. Некрасов, певший песни Ива Монтана, и квартет "Четыре Ю", и негритянский артист Геля Коновалов (его папа был негром, но это единственное, что отличало его от русского) – он был пантомимист, и красивые девушки, которые вели нашу программу (что с ними стало?), и танцевальная группа, и джаз. Вот джаз наш был великолепен! Тут были и Гаранян, и Зубов, и Капустин, и Бахолдин, и Журавский, и Салганик, всех и не упомнишь, но все – замечательные музыканты! И руководили ими молодые тогда Борис Фиготин, Юра Саульский и В. Людвиковский. И не могу не упомянуть в этой связи заслуженного тогдашнего директора ЦДРИ Б. М. Филиппова и его помощника Э. С. Разниковского».

Этот «привет из прошлого» – статью в газете – Илья Суслов прислал из Соединенных Штатов. Статья называется «И битвы, где вместе… Очерки о бывшей сатире».

Столько лет прошло, память может и подвести.

В день, когда в ЦДРИ вспоминали времена давно минувшие и тот «Первый шаг», который знала тогда Москва, в зрительном зале среди горстки немолодых людей возвышался, словно сидел не в кресле, а на боевом хоне, как маршал, осматривающий свое войско, высокий, крепкий человек, с ясными глазами, в которых никогда не пряталось равнодушие. Такие запоминаются сразу, как только пожмут руку – сильно, по-мужски, и вы услышите несколько отрывисто брошенных вам приветственных слов. Звали его как-то странно, то ли он был иностранцем русского происхождения, то ли русским – иностранного, во всяком случае некая смесь французского с нижегородским в его имени была. А если точнее – английского.

Джон Иванович Гридунов (оказывается, имя он получил в честь некогда почитаемого в Советском Союзе американского журналиста Джона Рида, автора бестселлера «Десять дней, которые потрясли мир», вышедшего вскоре после октябрьского переворота) – майор Советской армии, в отставке. Он – живая память уже сошедшего с дистанции некогда знаменитого коллектива. «Политкуплетист». Гридунов был в нем до последней минуты. И кого бы я ни спрашивал из бывших «первошагоцев» об истории ансамбля, все без исключения меня отсылали к Гридунову – «он все знает».

...На встречу со мной в ЦДРИ Джон Иванович опоздал почти на полчаса. Я, никогда не видавший его, стоял в вестибюле у двери и бросался к каждому пожилому человеку мужского пола с одним и тем же вопросом: «Вы не Джон Иванович?» На меня смотрели как на сумасшедшего.

Джон Гридунов появился в тот момент, когда я уже хотел уйти. Он вошел, вытирая с лица пот, задыхаясь– явно от быстрой ходьбы, если не бега, с объемной трубкой ватмана под мышкой, поздоровался, крепко сжав мою ладонь, и бросил. показывая на рулон: «Тут вся наша история».

Потом мы прошлись по дому в поисках удобного уголка, чтобы развернуть рулон. Джон Иванович раскланивался налево и направо, а когда на каком-то неказистом столике в фойе развернул рулон, превратив его в широкий и длинный лист, я обомлел: на листе с крупным заголовком «Первый шаг» – аккуратно наклеенные, в рамочках, фотографии, рецензии из газет, программки, приглашения на юбилеи. Все сохранено бережно, с любовью – так полагается обращаться с историей. Самая большая фотография – в центре, рядом– приглашение на юбилей – двадцатипятилетие «Первого шага», с перечнем фамилий тех, кто участвует в вечере; Я разглядываю фотографии, вижу лица тех. кто стали известными актерами, музыкантами, певицами: Илья Рутберг, Савелий Крамаров, Майя Булгакова, Гюли Чохели, Ирина Подошьян, Юрий Саульский, Борис Фиготин, Элла Ольховская, Инна Мясникова, Зоя Куликова, Роза Романовская; группа большая – во всю сцену, и почти в центре – Майя Кристалинская. Немного пополневшая, но с тем же светлым лицом, с той же своей неизменной прической – изящная шапочка черных волос, чуть зачесанных назад.

– Майечка – вот она, – Гридунов, проведя пальцем по фотографии, остановился на Кристалинской. – А это наши первые программки, тут Майи еще нет, она пришла позднее, дай бог памяти… И пришла прямо к папе. Вот он, папа, – Гридунов поставил палец на то место фотографии, где стояли двое – Папа и Домовой.

В каждом коллективе всегда находятся записные остряки, умеющие приклеить точное, смешное или ласково-уважительное прозвище. Так, Эммануил Разниковский, застрельщик «Первого шага», стал Папой – как его звали обычно в ансамбле. А вот прозвищем Домовой Бориса Филиппова «наградил» Борис Полевой.

Именно «Домовой» и дал благословение «Первому шагу» еще в ту пору, когда с идеей создания эстрадного ансамбля в ЦДРИ пришел к нему Разниковский. Да и не мог не дать. Это был умный, проницательный, хорошо знавший искусство и самозабвенно любивший его человек, близко знавший и друживший со многими артистами и с писателями (недаром, прослужив несколько десятков лет Мельпомене в ЦДРИ, он долго директорствовал затем в Центральном Доме литераторов); он был маленькой частицей той русской интеллигенции, которая после революции осталась в России.

Филиппов был душой дома на Пушечной. А это означало, что каждому, кто переступал его порог, уходить оттуда не хотелось.

Увы, почти никого из них нет сегодня в живых. Рассыпалась мозаика...

Но дом Филиппова и Разниковского сделал свое дело и был нужен повзрослевшему поколению жаждавших искусства, к которому принадлежала и Майя Кристалинская, – искусства, которое в середине пятидесятых настойчиво нуждалось в помощи. Дом был щедр и соединил их – молодое, сильное и в то же время трепетное племя с другим, великим поколением, уже постепенно уходящим, дав возможность вобрать в себя его дух, человечность, его уникальную культуру, чудом уцелевшую в безжалостной пролетарской битве за «нового» человека.

Песни и музыка в ансамбле «Первый шаг» были первыми среди равных. Комиссия отобрала целый оркестр – около пятидесяти человек; такой оркестр можно смело сажать в оркестровую яму оперного театра. Однако состав его в оперу не годился, для исполнения симфонической музыки – тоже, а вот эстрадной – другое дело, на нее он и был нацелен. Утесов в музыке толк понимал – Дунаевский был для него богом, но еще он любил музыку других «божеств» – Моцарта, Баха, Гайдна. Отменный вкус, ничего не скажешь! Ему виделся симфоджаз в «Первом шаге» (поскольку джаз в то время был под запретом, Леонид Осипович ввел термин «эстрадный оркестр», чем на какое-то время отдалил гнев больших начальников от музыки), и потому он остановил свой выбор на саксофонистах Георгии Гараняне и Алексее Зубове, тромбонисте Константине Бахолдине, барабанщиках Александре Кареткине и Александре Салганике – эти студенты самых разных вузов, от Станкина до Физтеха, оказались с большим джазовым будущим. К оркестру, состоявшему из музыкантов-непрофессионалов, большей частью самоучек, был приставлен Борис Фиготин, композитор и дирижер, имевший солидную музыкальную подготовку, что и повлияло на выбор его кандидатуры: самодеятельных музыкантов надо было учить. Фиготин в рвении своем иной раз допускал промашки – так, он расстался с Гараняном, не блещущим звуком и техникой, не разглядев в нем блестяще одаренного музыканта.

Можно, забегая вперед, сказать, что в конечном счете «джазовое направление», избранное Утесовым, и погубило «Первый шаг», но сам Утесов здесь ни при чем, громилами оказались те, кто предпочитал слушать музыку, сыгранную по идеологическим нотам.

Начались репетиции, в оркестре появились певцы-солисты. Первые же выступления ансамбля ЦДРИ прозвучали в Москве долгожданным летним громом. Толпы безбилетников штурмовали вход, пробиться в зрительный зал опоздавшие не могли, для желающих попасть на представление нужен был не клубный зальчик на Пушечной, а большой зал какого нибудь солидного московского театра. «Первый шаг» потом выступал и в Театре имени Вахтангова, и в Театре имени Маяковского. И там тоже мест не хватало.

Все было ново, все было молодо, но не зелено, у исполнителей с первых же представлений появилось невесть откуда взявшееся мастерство. В программе было все и на любой вкус: и песни, и хореография, и куплеты, и интермедии, и конферанс, и стихи, и инструментальный квартет с любимым «Ручейком» Тихонова ... А шутки, а репризы, а пародии! Выходил еще никому не известный Савелий Крамаров и, пародируя самого популярного в Москве конферансье – из «Необыкновенного концерта» в театре Образцова, – жестом показывал на концертмейстера Фармаковского и важно произносил: «Моя маэстрочка...»

Представление называлось «Оглянись по сторонам» и заканчивалось стихами, которые разъясняли несведущим, как создавался «Первый шаг»:

> *И сейчас, возвращаясь домой,*
> *Оглянитесь, друзья, на прохожих.*
> *Каждый третий и каждый второй*
> *Оказаться талантливым может.*

Однажды, когда «Первый шаг» продолжал свое триумфальное шествие по сценам московских театров и клубов, показывая артистам-профессионалам, что такое настоящий аншлаг, в ЦДРИ, в тесной комнате Разниковского, где теперь обосновался ансамбль, шли обычные посиделки, которые бывали всегда перед репетициями. К Папе любили зайти просто так, поговорить о чем угодно, а потом вместе с ним отправиться в зал на репетицию. На этот раз у него сидели певец Жора Островский и Юлик Бидерман.

Неожиданно дверь распахнулась, проем заполнила ладная фигура Гридунова, а рядом с ним стояла черноволосая девушка с необычным лицом, как показалось Папе.

Гридунов и девушка вошли, и Джон сразу же объяснил, что вот, де-скать, эта симпатичная девушка с красивыми глазами (девушка тут же метнула строгий взгляд на Джона) хотела бы петь в «Первом шаге» и что поет она здорово (девушка взглянула на Джона теперь уже удивленно, взметнув бровки), и ему, Джону, кажется, что брать ее необходимо (девушка покраснела).

– Джон, ты же знаешь, что у нас так не положено, нужно сначала показаться комиссии или хотя бы Утесову...

– Эммануил Самойлович, да Утесова нет в Москве (девушка, услышав фамилию Утесова, с ужасом посмотрела на Папу). Может быть, вы сами. Как художественный руководитель...

«Если бы к таким глазам да еще и хороший голос... – подумал Папа, а вслух сказал:

– Вы себе сами подыграть сумеете?

– Нет, что вы... – испугалась девушка. – Я не играю.

– А что вы споете? – заговорил по-армейски подтянутый, недавно распрощавшийся с воинской службой Жора Островский и ободряюще улыбнулся девушке.

– «Скалинателлу».

– Пожалуйста. Я ее знаю.

В комнате, занимая полстены, стояло старенькое, давно потерявшее свой былой блеск пианино. Жора подошел к нему, откинул крышку и, придвинув стул, сел и запел сильным тенором, легко дотрагиваясь до клавиш:

– «Скалинателла, лонго, лонго, лонго...» Не низко?

– Чуть повыше.

– Пожалуйста.

Жора заиграл, девушка запела – на настоящем итальянском языке, без русской примеси в произношении, будто изучала язык в Венеции или Милане, а если в Москве, то в институте иностранных языков на Метростроевской.

Островский, играя, смотрел не на клавиши, а на девушку, она же смотрела в окно, Джон Гридунов – на Папу, а Папа, опустив голову, слушал.

Когда девушка закончила, комната на несколько секунд погрузилась в тишину. Папа поднял голову и посмотрел на Островского. Девушка стояла в немом оцепенении.

– Что скажут вокалисты?

– Вокалисты скажут – брать! – не раздумывая ответил Жора.

– Я тоже так думаю.

– И я!– радостно воскликнул Джон Гридунов.

– Чего ж тут думать, – пробасил Бидерман.

– Если хотите, – обратился Жора к девушке, которая теперь стояла со счастливой улыбкой, – я готов позаниматься с вами, я учусь на вокальном в Гнесинке, приезжайте ко мне, буду рад. Да, а как вас зовут?

– Майя… Кристалинская. Майя.

Так состоялся прием Майи в «Первый шаг». И уже на ближайшем представлении она пела свою «Скалинателлу» в сопровождении «всеобщего» концертмейстера ансамбля Юрия Фармаковского – с оркестром пока выходить не решалась.

Как же могло случиться, что Майя, отказавшись от участия в конкурсе, где она непременно прошла бы отбор, оставаясь верной Елизавете Алексеевне, все же рассталась с молодежным хором к пришла в «Первый шаг»? Указующий перст судьбы, что ли, в согласии с внутренней подсказкой отправил ее туда? Да нет – все решила… Лобачева.

За несколько дней до прихода Майи к Разниковскому был очередной вечер отдыха хора, которые Елизавета Алексеевна часто устраивала для того, чтобы ее хористы немного развлеклись; жизнь у них нелегкая, работа или учеба, потом – репетиции, в кино даже сходить некогда. Во время вечеров там же, на Кропоткинской, обычно бывал небольшой импровизированный концерт. И пели все, кто хотел, перейдя на несколько минут из хористов в солисты. Среди них была и Кристалинская. Когда отшумели танцы и уставшие танцоры сели отдохнуть, начался этот концерт; петь сольно при Елизавете Алексеевне решались немногие. В этот вечер Майя осмелела. Она решила – споет «Скалинателлу» на итальянском и «Коимбру» на испанском.

И Майя запела. Удивленные хористы ей бурно аплодировали, а Лобачева встала и, подойдя к Майе, расцеловала ее. А позже, когда вечер закончился, подозвала к себе и сказала такое, отчего у Майи заколотилось сердце.

– Вот что, Майечка. Я давно к тебе присматриваюсь, а вот сегодня поняла. Тебе не нужно петь в хоре. Иди на эстраду. Я тебя никогда не выпускала солисткой, мне казалось, что для нашего репертуара ты в солистки не годишься. Твой голос такой, что ему нужна особая песня, негромкая, идущая от души. Здесь ты – королева. Так вот – иди. В «Первый шаг» иди, с него и начнешь. Не получится – всегда вернешься, всегда тебе буду рада.

Такой был разговор. И домой Майя возвращалась полная радости и смятения. Значит, все решила сама Лобачева и Майя не обидела ее.

Впереди – новый экзамен, и она сама подтолкнула к нему. А вдруг она споет и ей скажут: «Девушка, вы нам не подходите». Что тогда? Нет, этого не может быть. Ведь ее всегда слушают; ее не отпускают, просят петь еще и еще. Что говорила Карева? А Лобачева? То же самое. Наверное, и в самом деле Бог ей дал что-то такое, что нравится другим, что они ценят в ней.

Петь в хоре – можно затеряться. Поющих в нем много. И никто не уходит. Не каждому говорит Лобачева слова, которые сказала сегодня Майе.

Надо пробовать…

И все же неуютно на душе. Что впереди? Тревожно как-то. Она привыкла три раза в неделю очертя голову бежать на Кропоткинскую. И три раза в неделю погружаться в этот мир, в котором царствует Елизавета Алексеевна. Погружаться в чудо, которое она для тебя творит.

Однажды она уже прощалась с Елизаветой Алексеевной – уехала в Новосибирск, но тогда было иное: никто не выпускал птицу из клетки, не открывал дверцу, не приказывал – «лети!». Тогда была необходимость, она заставляла расстаться. Слез не было. Их нет и сейчас, но она чувствует, что это прощание – окончательное. Есть какая-то щемящая пустота.

Итак, решено. Завтра она пойдет на Пушечную.

Ну, не завтра, послезавтра – надо бы еще прорепетировать. Зайти к Рине Колик, послушать ее советы. Итак, послезавтра.

Глава шестая

«МУЗЫКАЛЬНЫЕ СТИЛЯГИ»

«Оттепель» пятьдесят четвертого ничем еще не предвещала бурного весеннего паводка пятьдесят шестого. Этот год и по сей день с легкой руки Григория Чухрая («Чистое небо») в фильмах сравнивают с ледоходом, с плывущими по рекам толстыми пластинами льда, подталкивающими друг друга. Лед убыстряет свой ход, в небе между серыми облаками пробиваются голубые пятна. Кинематографическая метафора верна, но ледоход обычно начинается после взрыва, сам по себе лед бы таял слишком долго. А взрыв в пятьдесят шестом – XX съезд и доклад на нем «подрывника» Хрущева – впервые явил народу истинное лицо вождя всех народов. Не будем говорить о том, что в докладе верно, а что, нет, важно, что он состоялся. Время же внесло в него такие коррективы, что сам доклад с точки зрения дня сегодняшнего – это детская песенка в сравнении с реквиемом.

Но уже в этот год в Москве пахнуло жарким афро-азиатско-американско-австралийским летом.

На июль–август 1957 года был назначен в столице СССР очередной фестиваль, какие уже проходили в «братских» столицах Европы, – VI Всемирный фестиваль молодежи и студентов. Слово «всемирный» для Москвы, десятилетиями наглухо закрытой, было редкостью: в страну приезжали в основном дипломаты и различные дятсли из стран народной демократии, иных Сталин и Молотов на московской земле принимали редко. Сегодня эти фестивали отошли в прошлое, а тогда вся борьба за мир в планетарном масштабе сосредоточивалась в этом веселом, разно голосом, разноязычном столпотворении людей молодых, энергичных, для которых не существовали ни холодная война, ни взаимные угрозы обозленных политиков, несущиеся в эфир главным образом с двух континентов.

Москва становилась снова, как много-много лет назад гостеприимным городом, распахнувшим двери для заморских гостей, и готовилась. Не просто их посмотреть, но и себя показать.

Решение о фестивале в Москве, принятое в советских верхах, потрясало. В это поначалу трудно было поверить. Но факт был налицо, и в пятьдесят шестом началась подготовка к нему ускоренными темпами. Столицу усиленно прихорашивали – дорогих гостей лучше всего встречать в дорогих нарядах, а потом нужно и достойно потчевать – и не только чайком с бараночками по московскому старому обычаю, а музыкой, песнями, танцами, цирковыми аттракционами, всевозможными гуляниями, развлечениями, фейерверками, карнавалами, которые укрепляют дружбу между народами и единство молодежи в борьбе за мир. И конечно же, состязаниями – самыми дружелюбными и в самых разных видах на необозримом поле искусств. И вот здесь уже ставку делали на устроителей фестиваля самодеятельности, которая должна была выйти на улицы в фестивальных колоннах, «прописаться» на тринадцать дней в театрах, клубах, дворцах культуры, где будут проходить конкурсы, на которых нужно побеждать, показывая не только свое мастерство, но и неустанную заботу коммунистической партии и родного советского правительства в деле воспитания молодых талантов.

Опыт райкомов комсомола времен Гражданской, когда все уходили на фронт и эти райкомы закрывались, и времен коллективизации, направлявших в колхозы молодых зодчих коммунизма, пригодился – начался бурный подготовительный период «навстречу VI Всемирному...», и на самые ответственные участки направлялись лучшие из лучших. Но не ударники пятилетки, а талантливые артисты, режиссеры, музыканты, организаторы из молодежной среды.

ЦДРИ считался в Москве чуть ли не школой будущих мастеров искусства, пока – на самодеятельной ниве, грандиозный успех «Первого шага» был тому доказательством, и ЦК комсомола в целях создания яркого коллектива, способного на равных бороться с зарубежными оркестрами на соответствующем конкурсе, направило на Пушечную талантливого выпускника Московской консерватории, композитора, пианиста и дирижера (далеко не каждый выпускник содержит в себе такой музыкантский конгломерат!) Юрия Саульского, тогда уже работавшего в оркестре Эдди Рознера. Саульскому были даны все права в создании оркестра, способного стать лауреатом фестиваля. Предстоял конкурс, и Саульский должен был совершить почти невероятное. Страна, где джаз был загнан в угол, а потом спасался в подполье, обязана была показать миру, что джазовая музыка в СССР чуть ли не всенародно любимая, а джазмены – самые уважаемые музыканты. И никто и представить себе не мог, что выдвиженцу предстояло самое невероятное – научить самодеятельных музыкантов… играть музыку! Этим и начал заниматься Юрий Саульский, определив состав.

Он пригласил из оркестра Бориса Фиготина ребят, в которых разглядел будущих великолепных мастеров джаза. Ему, человеку, фанатично преданному джазу, страдающему от постоянных нападок на него за «американщину» и за то, что не ласкал джаз ухо чиновников, для которых, кроме «Катюши» и полонеза Огинского, музыки не существовало, предстояло за несколько месяцев сделать образованных музыкантов, и этот экстерн они выдержали так же, как выдержал его их руководитель.

Саульскому нужны были вокалисты. В оркестре у Рознера появилась красавица грузинка с глубоким низким голосом, находка для любого джаза – Гюли Чохели. Как же мог Саульский, которому доверили создать свой джаз, обойтись без Чохели? Вряд ли что-либо лучшее для джаза могла подарить Грузия всему Советскому Союзу.

Но кто еще? Выбрать, конечно, можно было: певцы и певицы в «Первом шаге» были.

Юрий Саульский выбрал Майю Кристалинскую.

Выбрал, несмотря на то что ее пение было далеким от джазового. Чуткий музыкант, Саульский уловил в ее голосе обаяние, столь необходимое для джазовой певицы. К тому же по-русски она в концертах «Первого шага»

Юрий Саульский. 1990-е

не пела, пела по-итальянски и по-испански, с хорошим произношением, и в этом тоже был определенный колорит.

В вокале Юрий Саульский толк понимал, с техникой вокала был хорошо знаком – и не только потому, что получил серьезное музыкальное образование, но и по другой причине – он был из музыкальной семьи, мать пела в хоре Большого театра, потом – на радио, а бабушка обладала незаурядными вокальными данными, выступала даже в одних спектаклях с Собиновым и Шаляпиным. Работая с Майей, Саульский мог дать ей профессиональный совет; Майя же, не страдавшая самоуверенностью, дельные советы никогда не отвергала, по части вокала – тем более, схватывала урок быстро и незамедлительно выполняла.

Юрий Сергеевич был старше Майи всего тремя годами, но она относилась к нему как к многоопытному маэстро, пела теперь с оркестром, что для человека, не имеющего музыкального образования, было делом трудным. Однако Кристалинская легко постигала его. Будучи дирижером и музыкальным руководителем у Рознера, Саульский сочинил вещь довольно оригинальную – фантазию на темы Дунаевского. Он назвал ее «Дуниадой»: в музыкальных и кинематографических кругах маститый композитор, к тому же депутат Верховного Совета СССР, высоко ценимый Сталиным, звался коротко, просто и мило – Дуня. Фантазия Саульского была написана с выдумкой, включала в себя увертюру из фильма «Дети капитана Гранта», «Марш энтузиастов», «Колыбельную» из «Цирка» «Журчат ручьи» из «Весны», «Молчание», «Дорогой широкой» и многое другое. Но это была настоящая фантазия. В отличие от общепринятых, которые пишутся только для оркестра, в ней участвовали и певцы, автор ввел короткие фрагменты, куплеты из песен, что и придало фантазии необычность.

На нее сразу же обратило внимание радио, и фантазия часто звучала в эфире, к явному удовольствию слушателей. Но радио – не ТВ, и если бы слушатели могли еще видеть то, что происходило на сцене! Эдди Рознер, всегда стремившийся отклониться в сторону джаза от «легкокрылой» советской эстрадной музыки, сделал из «Дуниады» не просто замечательное музыкальное действо – здесь в первую очередь заслуга Саульского, – а шоу, близкое к мюзик-холльной стилистике, действо еще и сценическое, введя нескольких танцовщиц, и этот мини-спектакль проходил под долгие и весьма энергичные аплодисменты.

«Дуниаду» вместе с музыкой других композиторов Саульский включил в фестивальную программу джаза ЦДРИ, и она стала «гвоздевым» номером всей программы.

«Дуниада», естественно, шла на русском языке, Кристалинская, не потеряв своего певческого обаяния, впервые – так считает Юрий Сергеевич – пела на родном языке. Возможно, Саульский прав, но только в одном случае – если говорить о «Первом шаге».

В «Дуниаде» Майе предстояло петь небольшую «Колыбельную» из фильма «Цирк» – ту самую, которую в картине пела Любовь Орлова маленькому негритенку, путая русские слова с английскими (ее героиня далеко не блестяще владела русским языком, что придавало дополнительный шарм). В «Дуниаде» же английские и неправильно произносимые русские слова были убраны, текст из-за этого был несколько изменен. Самая первая фраза у Орловой выглядела так: «Слип, май беби, сладко, слип...» В «Колыбельной» у Кристалинской она приобрела чисто русское звучание, которое напрашивалось само собой.

Майя стала участницей фестиваля. Саульский сделал ей еще один подарок: он предложил Майе спеть «Прощальную песню», считая, что лучше Кристалинской в его оркестре эту песню никто не споет: песня-то ведь с грустинкой, а ее в голосе у Майи – предостаточно.

«Скоро полночь, кончается вечер, значит, время идти по домам...» – так начинается песня, и ею заканчивалась программа каждого выступления оркестра на фестивальных концертах. Было решено «наверху», что она прозвучит в последний день фестиваля по радио и станет завершающей песней всего фестиваля. Запись сделала Капитолина Лазаренко, что было вполне понятно и нисколько не задело Майю – Лазаренко была уже известной певицей.

Кажется, дорога на фестиваль была настежь открыта. Но оказалось, что не все так просто. Юрий Сергеевич Саульский вспоминает:

«По дороге на конкурс международный было два промежуточных – московский и всесоюзный. Отборочное сито, сквозь которое надо пройти.. На московском конкурсе мы оказались лучшими (золотая медаль), на всесоюзном – третьими (бронза: лучшим был назван грузинский оркестр). На этом основании оркестр ЦДРИ долго не хотели пропускать на третий, международный этап. Чтобы доказать, что у нас есть на это право, мы даже подготовили большую программу из советских и западных произведений и устроили специальный показ для фестивального комитета. К счастью, там нашлись люди, которые поняли, что советский оркестр должен продемонстрировать качество (даже Цфасман, который скорее не любил наш оркестр, чем любил, сказал Утесову: «А у вас такой группы саксофонов, как у Саульского, нет!»).

С особенной лиричностью вспоминается сегодня этот долгожданный, не виданный столицей СССР праздник, обративший Москву послесталинских времен в живой и веселый европейский город! Москва ждала, Москва дождалась, Москва окунулась в радостную суматоху, закруглила вихрь, вобрав в себя звонкий смех, объятия и рукопожатия, кавалькады, плывущие по улицам. Голубь мира Пикассо взлетел над городом, пять разноцветных лепестков фестивальной ромашки, окаймлявшие земной шар в центре ее, сразу же потеснили гладиолусы, гвоздики и георгины, которые в невиданном ранее изобилии появились на московских улицах.

И на стадионе, в Лужниках, новеньком, построенном к фестивалю, засверкало зрелище, впечатляющее своей грандиозностью и красотой, как свидетельство достижений самого передового общества, которое когда-либо знало человечество.

На черно-белой кинопленке, которая иногда мелькает в нынешних телепередачах об истории нашего Отечества, запечатлены кадры ликования в Москве – центр города отдан во власть толпам (дисциплинированным и доброжелательным, что с толпой бывает не так часто) молодых парней и девушек; лица у всех приветливые; взявшись за руки, гости и хозяева идут по центральным улицам и, расступаясь, дают дорогу грузовикам, а в кузове машин – точно такие же ребята, точно такие же девушки, точно та кой же свет в их глазах, а на бортах машин – синие буквы на белом фоне – «МИР, ДРУЖБА, ЕДИНСТВО». Громкоговорители запели голосом Бернеса песню, она, как когда-то «Катюша», взяла курс на все страны света:

> *Если бы парни всей земли*
> *Миру присягу могли бы принести.*
> *Вот было б здорово, вот это был бы гром,*
> *Давайте, парни, вместе запоем.*

Любые фестивали, от всемирных до международных, имеют свои праздники и свои будни. Московский казался сплошным праздником, но и у него все же были будни. Начались они на следующий день: встречи делегаций, знакомство с Москвой, поездки на предприятия, концерты делегаций, спектакли в театрах – был даже один вечер открытых дверей в московских театрах, когда не требовалось билета и контролеры отсутствовали – проходи кто хочет. Можно было зайти в Большой; посмотреть первое действие оперы, затем в Малый – второе действие драмы, затем во МХАТ – третье действие комедии… И наконец, конкурсы. Газета «Советская культура» сообщила о начале работы музыкальных конкурсов, и было их немало: и вокалистов, и гитаристов, и танцевальный, и конкурс среди композиторов на лучшее сочинение, и исполнителей камерной музыки, и… конкурс популярной песни и эстрадных оркестров. Председателем жюри этого конкурса был Утесов, а среди участников – кого только не было среди участников! – немцы и поляки, исландцы и австралийцы, англичане и венгры, румыны, бельгийцы. От Советского Союза – оркестр клуба с непонятным для иностранцев названием «ЦДРИ».

Каждому конкурсу были отданы свои залы – в клубах, дворцах культуры, домах творческих работников (журналистов, актеров и т. д.) и даже в кинотеатрах. Конкурс эстрадных оркестров проходил в Первом кинотеатре – на улице Воровского, где уже много лет киноартисты играют на сцене Театра-студии киноактера.

Трудно сказать, был ли аншлаг, скажем, на конкурсе вокалистов или камерной музыки, а на улице Воровского зал был всегда полон. Как же иначе – ведь играет наш советский джаз, открыто, и не с разрешения властей, данного, как часто бывает, со скрипом, а, наоборот, с их благословения – этого в Москве еще не бывало. Стране нужны были свои джазовые лауреаты, лучше, конечно, с золотыми медалями, но не возбранялись и серебряные.

Оркестр Юрия Саульского (в дни фестиваля в нем играли Георгий Гаранян, Константин Бахолдин, Алексей Зубов, Николай Капустин и Борис Рычков, Александр Гореткин) выступил с успехом. Публика не смогла сдержать свои эмоции, жюри вело себя по всем правилам, предписанным всякому жюри, – безмолвствовало, и было непонятно, что оно задумало. Майя Кристалинская спела «Колыбельную» и «Прощальную песню» – как обычно улыбаясь, и даже глаза не выдали того волнения, которое было спрятано глубоко в душе. Так было не только в этот день, но и спустя много лет. В Майе ничего не изменилось со временем, и даже самые близкие не всегда знали, что творится в ее душе

(«Скрытная она была, – так сказал о ней Бидерман, – но вот камень за пазухой никогда не держала»).

Восьмого августа в Колонном зале Дома союзов лауреаты получали честно заработанные медали. Леонид Утесов вышел на сцену, чтобы наградить эстрадные оркестры и исполнителей популярных песен. Золотые медали у певцов получили ансамбль «Дружба» и вокальный квартет «Первый шаг»: Элла Ольховская, Роза Романовская, Инна Мясникова и Зоя Куликова. А среди эстрадных оркестров из «наших» отличился биг-бэнд ЦДРИ. Когда Леонид Осипович объявил, что джаз ЦДРИ награжден серебряной медалью, в зале раздались аплодисменты, а победителей охватила радость – горьковатое сожаление о том, что серебро не золото, тут же улетучилось. Все джазмены и певцы вышли на сцену, и каждому Утесов вручил по маленькому серебряному кружочку в лепестках. И поздравил крепким рукопожатием.

Саульский, оценивая выступление на фестивале, сказал: «Вроде бы мы показали себя неплохо», Скромность всегда была свойственна Юрию Сергеевичу. А потом продолжил: «Не всем членам жюри мы понравились – французский композитор Франсис Лемарк сказал, что мы играем не совсем настоящий джаз, что это больше похоже на музыку варьете. В чем-то Лемарк был, возможно, прав, знал бы он только, что еще года три назад такое звучание было в СССР крамольным. Но остальные члены жюри нас поддержали, а золото получили итальянский диксиленд «Нью-Орлеан Рома» и исландский квинтет Густава Орислева – «марсианский» состав без рояля, игравший новую, неслыханную прежде музыку.

Но вот фестиваль закончился. Месяца два еще по инерции собирались на репетиции, и тут наступил разгром. Восьмого августа, в тот самый день, когда Колонный зал стоял, приветствуя лауреатов, в том числе и джаз-бэнд ЦДРИ, газета «Советская культура» на одной из своих страниц поместила сообщение о результатах всех музыкальных конкурсов московского фестиваля. Но всех ли? Увы, нет. О конкурсе джазовых оркестров не было ни слова. Забыли?

Тайна забывчивости объяснялась очень просто, стоило только посмотреть последнюю полосу газеты. А на ней была помещена статья «Музыкальные стиляги». Даже беглого просмотра статьи было предостаточно, чтобы понять, о чем и о ком идет речь. В центре внимания автора статьи был оркестр ЦДРИ и его руководитель Юрий Саульский.

Я приведу эту статью почти полностью – в ней время, еще до конца не обрубившее сталинские корни, брызжет ядовитой слюной, это во-первых, и, во-вторых, статья в немалой степени касается и моей героини, хотя имени ее вы там не найдете.

«Кажется, никогда в газетных статьях не было такого количества восторженных, одобрительных слов, как сейчас, в дни фестиваля. Это неудивительно: радость встреч с друзьями всего мира, радость знакомства с творчеством народов разных стран – все это, естественно, заставляет искать самые задушевные, теплые выражения.

И легко себе представить, что известным диссонансом во всем этом потоке радостных чувств и переживаний прозвучит данная заметка, ибо отнюдь не умилительным представляется то явление, о котором пойдет ниже речь.

Советская молодежь выполняет сейчас функции не только гостеприимных хозяев, радушно принимающих у себя самых дорогих гостей. Нет, наша делегация представляет советскую культуру, советское искусство, она соревнуется с молодежью других стран. Торжественные концерты, художественные конкурсы – какая ответственность лежит на их участниках, ответственность за то, чтобы полно и убедительно рассказать нашим гостям о жизни советских людей, их эстетических взглядах, вкусах, критериях (искусство – это всегда идеология, мировоззрение!), дать точное, яркое представление о советском искусстве. Когда выходит наш молодой певец, танцор, драматический актер или коллектив, то с первой и до последней минуты хочется ощущать, что это – представитель советской страны. Тем досаднее, когда наблюдаешь обратное: стремление стать похожим на других, подражать худшим образцам "моды".

Это явление – довольно распространенное сейчас среди представителей жанров так называемой легкой музыки. Пагубный в искусстве пример утери самостоятельности творческого облика, творческой индивидуальности являет собой, в частности, молодежный эстрадный оркестр Центрального Дома работников искусств (руководитель Ю. Саульский).

Уже самый репертуар этого оркестра, в значительной своей степени составленный из ремесленных сочинений его руководителя, не представляет ничего ценного: множественные реминисценции случайно подслушанных по заграничному радио мелодий, интонаций, ритмических оборотов, заимствованные из того же источника приемы оркестровки, "штампованные" для американизированного джаза "штучки". И все это, как и любое подражание любая копия во много раз хуже своего первоисточника, – заставляет не только поморщиться (это слишком мягко сказано), даже негодовать.

При этом я отнюдь не собираюсь умалить достоинство – исполнительскую культуру лучших западных эстрадных коллективов. Но, как говорится, каждому свое. В советской легкой музыке сложились свои, весьма ценные традиции. У нас есть талантливейшие сочинения классика (не побоюсь так сказать) советской легкой музыки И. Дунаевского, который сумел раскрыть в лучших своих сочинениях присущие советскому человеку черты: сочетание героики и нежной душевности, беззаботного веселья и глубоко взволнованных чувств; Д. Шостакович, Д. Кабалевский, А. Цфасман, А. Лепин, композиторы Закавказья, Эстонии – у них немало подлинно талантливой, подлинно легкой и подлинно советской музыки. Разве не долг каждого советского музыканта, работающего в данной области, всемерно содействовать развитию традиций советского искусства, а не пытаться стать в один ряд с антимузыкальными джазами.

И манера исполнения – крикливая, грубая, физиологическая, рассчитанная на дешевый, "чисто джазовый" эффект рявканье тромбонов, вой саксофонов, грохот ударных, "синкопа на синкопе и синкопой погоняет" – совсем не делает чести молодежному оркестру ЦДРИ и его руководителю Ю. Саульскому.

А как развязно ведут себя солисты-инструменталисты и певцы! Кстати говоря, очень слабые по своим творческим возможностям, как надоедают их вихляющие "стиляжные" ужимки, с которыми они проходят через сцену; как режут глаз бесконечные вскакивания и усаживания! Или дирижер с его манерничаньем, заигрыванием со зрителем! Все это чужое, с чужого плеча, на чужой лад. Надо сказать, что этот коллектив не только неприятно слушать, столь же неприятно и смотреть его программу.

Мы с отвращением наблюдаем за длинноволосыми стилягами в утрированно узких и коротких брюках и экстравагантных пиджаках, нас смешат ультрамодные юбки, наращенные ресницы и мертвенно-малиновые губы "стильных" девиц. Но понятие "стиляга" распространяется не только на внешний облик человека... Удивительно, как под крышей уважаемого Центрального Дома работников искусств свили кокетливое гнездышко музыкальные стиляги. Да, самые настоящие музыкальные стиляги насаждают свое низкопробное искусство, прикрываясь маркой ЦДРИ».

Внизу стояла подпись, но я не буду называть имени автора. Что и говорить, он – грешен. Грешен и потоком льстивых слов в адрес советского образа жизни, и дерзкой критикой молодого, явно талантливого – а уже тогда в музыкантских кругах так оценивали не только сочинения Саульского, но и всю его деятельность – дирижера, пианиста, аккордеониста, аранжировщика, добавлю еще – и организатора! Преступно унижать уже заявившего о себе музыканта, композитора, называть его сочинения «ремесленными», а мелодии – «подслушанными по заграничному радио». Откуда такая ненависть? Откуда вдруг всплыл этот стиль ждановских постановлений сорок шестого – сорок восьмого годов? Сажать Саульского – да и только!

Репрессии, тюрьмы, ссылка – кажется, все кануло в прошлое. Газетные репрессии – нет.

А между тем статья была явно заказной. Автор выполнял приказ, отданный ЦК КПСС, куда кто-то «стукнул». В ЦК не было дела до какого-то оркестра из какого-то «Первого шага», там своих забот хватало. Явная «наводка».

Журналисты же были как солдаты, которым положено приказы командира выполнять, а не осуждать. Это вот ныне можно бунтовать, доказывать свою правоту, обличать без распоряжения свыше. Тогда же не выполнил приказа – катись на все четыре стороны, ты уволен. А это означало – «волчий билет»; с ним ты можешь либо спрятаться под псевдонимом в какой-нибудь многотиражке, либо переквалифицироваться в управдомы.

Бидерман уже на закате своих дней, вспомнив об этой статье, высказал предположение, что заказчиком статьи был Кабалевский. И еще называли Цфасмана.

Странно, что Кабалевский в этой статье попал в авторы, сочинявшие легкую музыку. Если не считать несколько попевок из фильма «Антон Иванович сердится» и оперетту «Весна поет». Цфасман – другое дело, легкую музыку он писал, но в лице Саульского видел в ближайшем будущем явного конкурента, и джаз этот «он больше не любил, чем любил». Саульский для него был опасным «выскочкой».

Но это далеко не все, чем «отличился» автор. То ли в пылу рвения перед заказчиком, то ли находясь в состоянии журналистской эйфории, но его авторская оглобля огульно проехалась по спинам ни в чем не повинных исполнителей – певцов и певиц, которых он обвинил, не называя имен, в манерничании, в «вихляющих» стиляжных ужимках, а творческие возможности оценивает как слабые.

Говорят, автор статьи глубоко переживал впоследствии то, что сотворил, но что сделано, то сделано, курок спущен, и выстрел прозвучал. Всесильна в те годы была пресса, от газет центральных до многотиражек районного масштаба. После их критики следовали оргвыводы. А они бывали крутыми.

Саульский стал изгоем в Центральном Доме работников искусств. Защитить его было некому. Борис Михайлович Филиппов уже в доме не работал, Эммануил Самойлович Разниковский был не в силах остановить тот вал, который катился со всех сторон на его любимцев.

«Нас выкинули, правда, не напрямую, приказом по дому, но создав такие условия, что работать стало невозможно. Наш коллектив давно перерос рамки самодеятельности. Если бы события развивались нормально, мы, наверное, переместились бы на работу в Москонцерт: нас туда уже пригласили. Но после появления злополучной статьи на оркестре – и на мне персонально – был поставлен крест. Все приглашения тут же отпали, телефоны замолчали. Меня потом никуда не брали на работу года два. Музыканты стали устраиваться в другие коллективы. Лундстрем, например, тут же взял в свой оркестр наших лучших саксофонистов – Гараняна, Зубова и Албегова, а потом еще и тромбониста Костю Бахолдина. Короче, сыгранный единый состав рассыпался. Музыканты хорошо понимали, что произошло. Переживали.

Я сам подал заявление об уходе. "Неблагонадежная" репутация еще долго тянулась за мной. В 1960 году, придя в Министерство культуры устраиваться на работу дирижером в оркестр мюзик-холла, я услышал: «А, тот самый Саульский… "Музыкальные стиляги"…»

О статье Майя узнала на следующий день, придя в ЦДРИ. Сама не зная почему, она заглянула в комнату Разниковского. Там сидел хмурый, маленький Бидерман. Он посмотрел на Майю. Глаза его были какие-то потухшие.

– А, лауреат! Заходи, – вяло пробасил Бидерман.

– И это вместо поздравления? – улыбнулась Майя.

– Поздравление – вот. Всем нам. Читай.

Бидерман протянул газету, статья «Музыкальные стиляги», обведенная красным карандашом, бросилась в глаза. Майя начала читать, захлебываясь строчками. А прочтя, вернулась к тому абзацу, где писалось о вихляющих ужимках слабых певцов. Прочла еще раз, теперь – медленно, словно впитывала в себя каждую строчку. Глаза ее заблестели.

В комнату вошел Гридунов. Увидев Майю с газетой в руках, он вдруг неожиданно широко и весело улыбнулся.

– Майечка, не читай ты эту белиберду! И не переживай... Я же по глазам вижу. У нас, артистов, в жизни бывает всякое. Кто поругает, кто похвалит. На каждый роток не накинешь платок... Нервы должны быть у артистов железные. В Саульского Юру я верю – он парень крепкий, выстоит. И в тебя верю. Хочешь, я тебе свою рецензию нарисую? Прямо сейчас?

И, не дожидаясь ответа Майи, еще не пришедшей в себя, выпалил:

– Иди на эстраду, Кристалинская. Тебе туда дорога...

В распахнутое окно внезапно ворвался раскатистый гул большого барабана. В него вплелись трубы.

Долетели обрывки голосов, и сквозь них пробились слова: «Мы все за мир, клятву дают народы...» Песня вытеснила десятки разноцветных шаров, и они потянулись к небу, будто песня приказала им лететь.

Фестиваль бурлил.

Глава седьмая

«ТЫ УШЕЛ, НИЧЕГО НЕ ОТВЕТИВ...»

1. Обычная история необычных людей

История эта началась за несколько месяцев до московского фестиваля, и если быть точным, в конце апреля 1957 года. А закончилась спустя десять с половиной месяцев.

В тот год одному из ее участников, Аркадию Михайловичу Арканову, на редкость популярному писателю (сатириком он просит себя не называть), исполнилось всего двадцать четыре года. Был он внешне чрезвычайно симпатичен, как всегда – «мастрояннист», что подмечено спустя сорок с лишним лет в одной эпиграмме:

> *Размышляю неустанно,*
> *В чем загадка обаянья:*
> *То ль Марчелло он Арканов,*
> *То ль Аркадий Мастроянни?*
>
> (В. Волин)

Тогда, в пятьдесят седьмом, Аркадий Михайлович писателем еще не был, а оканчивал 1-й Московский ордена Ленина медицинский институт имени И. М. Сеченова, что на Большой Пироговке, и собирался стать врачом-терапевтом. Забегая вперед, отмечу, что свой долг перед Родиной, давшей ему медицинское образование, он исполнил, честно отработав отпущенные ему для этого три года. Но никто в студенческие годы искусству не чужд, и вот в институте стараниями Аркадия Арканова, Григория Горина, Альберта Аксельрода, Александра Лившица, Александра Левенбука, а также и других впоследствии не вставших в ряды сатириков и юмористов возник ВТЭК («Врачебный театрально-эстрадный коллектив»).

Помимо склонности к шутке, репризе, монологу, куплету, скетчу и т. д., без чего не бывает настоящей эстрады, Аркадий обладал еще и незаурядной музыкальностью, играл на трубе и был одной из «первых скрипок» во ВТЭКе. ВТЭК и эстрадный ансамбль ЦДРИ «Первый шаг» были друзьями-соперниками и однажды (а может быть, и не однажды) выступили вместе.

Майе Кристалинской в тот год исполнилось двадцать пять. Инженер-расчетчик из конструкторского бюро Яковлева, она уже близко подходила к заветной черте, отделявшей самодеятельных артистов от профессиональных, и уже готова была эту черту переступить. В ЦДРИ считали, что она – открытие, и не только сезона; но газеты о ней еще не писали, а в одной из рецензий на представление «Первого шага» ее обезличили, назвав во множественном числе – «студенты Авиационного института», хотя МАИ представляла только она одна.

Итак, апрель 1957 года.

Все, что произошло в тот день, на всю жизнь отложилось в памяти Аркадия Михайловича Арканова. В мельчайших деталях. Возможно, потому, что история эта имела весьма небанальное начало. Вот конец уже был банальнее, но все равно с оттенком оригинальности, свойственным писателям-юмористам. Правда, до юмора было далеко...

Ознакомившись с этой историей, одни скажут – «Арканов такой», а другие – «Арканов сякой». Но спорить тут, в общем-то, не о чем. Обычная житейская история, приключившаяся с двумя очень талантливыми людьми – писателем и певицей.

Аркадий Михайлович не делает из нее тайны. Он рассказал ее мне, сидя в пустом фойе Дома литераторов. Мы были почти одни – и хорошо.

Итак, Аркадий Михайлович Арканов.

«30 апреля 1957 года в Политехническом музее был вечер коллективов, которые должны были участвовать в Международном фестивале молодежи и студентов. Среди них эстрадный коллектив ЦДРИ, знаменитая джазовая "восьмерка", представлена в том вечере была лишь квартетом, и наш коллектив Первого медицинского института.

И вот среди актеров, выступающих за ЦДРИ, пела Майя. Я человек музыкальный, а в молодости любая девушка, которая обращала на себя внимание, да еще проявляла какие-то музыкальные способности в виде музыкального слуха, голоса, любви к музыке, казалась мне пределом мечтаний. Человек я был романтически настроенный, и так вот, с первого раза, увидев ее, я подумал: вот это да, было бы здорово! Вместе со мной был мой приятель, нынешний инженер, который сказал: "А вот слабо с ней тебе познакомиться и..." Я говорю: "Нет, наверное, не слабо".

– А почему именно Майя привлекла его?

– Он тоже был музыкальным человеком, мой друг, он меня как бы завел.

А потом – кончился концерт, мы уже расходились, но пошел страшный ливень. И вот в подъезде Политехнического музея мы с ней стояли рядом и пережидали этот дождь. И вот пока мы пережидали этот дождь – я был человеком очень скромным и не отличался большим количеством случайных знакомств, – тем не менее проявил какую-то настырность и пригласил ее отметить Первое мая в ресторане ВТО, где мы, наш коллектив, имел несколько столиков. Она согласилась, и мы разъехались, она поехала в одну сторону, я – в другую.

Мы договорились, что я ее встречу у ВТО. Я ее встретил, и она была как бы моей гостьей.

Это была "тусовка", были актеры, которые праздновали этот день, был и наш большой коллектив, были какие-то выступления, и, естественно, ее попросили спеть. И она там пела.

– Интересно, что именно?

– Свой репертуар. "Скалинателлу", "Индонезию", она была популярна.

Ну вот, кончился этот праздник, и я пошел – не поехал, а пошел провожать ее до дома. Она жила в районе Комсомольской площади, у трех вокзалов... Интересно другое – я ее проводил, все было очень мило и хорошо, и назначил ей следующее свидание – это было девятого мая, в День Победы.

Девятое мая – я уже не помню – где-то мы были, шатались по городу, и я опять ее пошел провожать домой. Но вот до этого мой друг – он все время был как бы между нами – говорит: "Ну, а жениться тебе слабо?" – "Нет, не слабо..." Так вот, находясь в таком романтическом угаре, девятого мая я ей сделал предложение.

– С ходу! Это что, был ответ на его "слабо"?

– Нет, я же не дурака валял, мне она тоже нравилась. И она согласилась.

Я никому ничего не сказал и дома не говорил... Тогда было проще: на следующий день или, не помню, через два дня подали заявление в загс. Расписываться нам назначили на первое июня. Можете себе представить, тридцатого апреля познакомились, на первое июня уже назначили запись. Отдали документы двенадцатого мая, и с тех пор мы не виделись, первого июня у загса встретились и вышли оттуда мужем и женой. Я пришел домой. Мать была в изумлении, когда я показал брачное свидетельство. Был шок – кто? что? Надо сказать, что ее тогда в широких кругах не знали, знали только в кругах артистических как молодую талантливую девушку, окончившую МАИ, работавшую в КБ. Знали только люди, близкие к ЦДРИ и к искусству. Что вот такая самодеятельная певица, не профессионал, работает у Яковлева от звонка до звонка. Я матери объяснил, что вот она – такая талантливая. И свадьбу решили не оттягивать, а назначили ее на седьмое июня, на день моего рождения.

– А кто-нибудь из друзей все же знал об этом?

– Кроме моего вот этого друга – никто. Я решил это как бы сюрпризом поднести.

Ее не видела моя мать, я один раз видел ее мать, да только случайно, в подъезде, когда я уходил. Мои родственники приехали из Киева, соседка – мы жили в коммунальной квартире – уехала куда-то и отдала нам свою комнату, дополнительно.

Итак, в этой коммунальной квартире состоялась эта свадьба. Впервые моя жена познакомилась с моей мамой, с моим отцом, а ее родители познакомились с моими родителями и со мной.

Среди гостей, которые были на свадьбе, все было очень странно. С моей стороны – киевские родственники, среди друзей – два моих приятеля, которых я позвал. Скромная такая свадьба была. А с ее стороны были режиссер театра имени Станиславского и Немировича-Данченко Златогоров со своей женой – известный режиссер; и еще одна одна ее тетка, на которой женат был гроссмейстер Флор. Вообще феллиниевская была атмосфера на свадьбе – отчужденная. Как бы стенка на стенку сидели. Чужие люди за одним столом оказались, да еще за свадебным. Ее родители – мои родители, ее родня – моя родня. Напряженная атмосфера была...

Я помню, что ее отец, Владимир Григорьевич, он был массовиком-затейником, носил толстые очки, у него было минус двенадцать или минус пятнадцать. Человек он был добрый, милый. Я своего тестя тоже увидел на свадьбе впервые. Он сказал, что вот есть Аркадий Райкин, а теперь будет Аркадий Майкин. А потом, поняв, что происходит что-то не то, он достал из портфеля металлические головоломки и отдал всем решать. И вот свадьба превратилась в разгадывание этих головоломок.

У моей матери сразу напряженка возникла во взаимоотношениях с Майей, и отец мой тоже как-то был насторожен, и потом, я понимал, что жить негде, в комнате восемнадцати квадратных метров мой брат и мать с отцом, а я еще буду тут с женой – глупо. И у нее негде.

Мы очень быстро, опять же через ее семью, через Златогоровых, сняли комнату в коммунальной квартире у метро "Аэропорт". Дорогая комната, она стоила пятьдесят рублей в месяц. Я только окончил институт и получил распределение в Норильск как врач. Майя пошла в горздрав и оставила такое заявление – поскольку она моя жена, и она здесь связана работой, и у нее всякие творческие планы, и она просит, чтобы мне сделали перераспределение и оставили в Москве, а я страшно сопротивлялся, действительно хотел в Норильск, но она ехать категорически не хотела. У нее было большое будущее, она начинала как певица, ее знали, о ней ходили разговоры – вот есть такая талантливая девушка в ЦДРИ. Меня оставили в Москве и дали мне распределение участкового врача, им я и работал после окончания института, и мы снимали эту комнату. Я не могу сказать, что мы так замечательно, безоблачно жили, у нас конфликты некоторые были – ну, не мордобой, конечно, нормальные, человеческие. У нее – это моя точка зрения – закружилась немножко голова от успеха. Я помню, Цфасман что-то критическое высказал по поводу коллектива ЦДРИ, не о ней в частности, а о всем коллективе, в котором она была. У нас дома были пластинки Цфасмана, так она стала ломать пластинки. Я ей сказал, что так не делают, что Цфасман имеет право на свою точку зрения – но ломать...»

А теперь – газета «Московские ведомости».

Так вот, тот самый пассаж из рассказа Арканова выглядит в газете несколько иначе. И вся история с битьем цфасмановских пластинок обретает другой смысл.

«Вокруг Майи уже тогда был большой ажиотаж, – вспоминает Арканов в "Московских ведомостях". – Она представляла собой некое новое качество в советской песне и просто купалась в лучах славы, а я все время пытался вернуть ее из этой эйфории в реальность.

Майя очень болезненно относилась к любой критике. Помню, однажды известный пианист и джазовый музыкант тех лет Александр Цфасман написал в одной газете критическую статью об эстраде, где, в частности, в качестве примера "припечатал" Кристалинскую. У нее была совершенно поразительная реакция! У нас в доме было всегда множество виниловых пластинок, в том числе и несколько пластинок Цфасмана. Так после этой статьи Майя выбрала их все до единой, с яростью разломала о колено и выкинула осколки в окно!»

Каждый человек, к которому я обращался с просьбой рассказать о Майе, независимо от степени близости к ней и возраста, начинали с одних и тех же слов о том, что она была «удивительно светлым, добрым, отзывчивым человеком». И вдруг – такая вспышка: битье пластинок! О колено! Осколки в окно! Но, во-первых, виниловые пластинки о колено разбить невозможно, потому что они не

*Аркадий Арканов –
герой 1960-х в годы 1990-е*

бьются и не ломаются – это обычные гибкие пластинки, оперативное массовое производство музыкальных «бестселлеров». Во-вторых, мотивы этого чрезвычайно энергичного поступка в «Московских ведомостях» совсем иные, чем в интервью Арканова, записанном мною. Дело в том, что не о критической статье Цфасмана, в которой он «припечатал» Майю Кристалинскую, говорил Арканов, речь шла о том, что Цфасман подверг критике весь эстрадный коллектив ЦДРИ.

Вот это и вывело Майю из себя – обида за друзей, за дело, которому столько отдано, за интриги вокруг него.

И все же сдается мне, что такая бурная реакция Майи была не из-за статьи, которую Цфасман не писал, а из-за статьи другого автора – «Музыкальные стиляги». Вот к ней Александр Наумович, возможно, руку приложил. Так или иначе, слух об этом, бродивший по коридорам и кабинетам ЦДРИ, лишившегося перспективного оркестра, уловил и абсолютный слух Майи Кристалинской, тонко воспринимавшей не только музыку, но и несправедливость, а вернее подлость.

Может быть, на изложение всей этой истории в газете «Московские ведомости» не стоило обращать внимания, однако статью мне передали верные поклонники Майи, хранящие о ней память и по сей день.

Судя по всему, крушение семейной жизни надвигалось неотвратимо. В ней образовалась еще одна брешь – несовпадение взглядов.

«– Я ей всегда говорил: Майя, ты без музыкального образования, черна и темна в этом плане, как деревенский человек. Не знаешь нот, не знаешь гармонии. У тебя есть только природное дарование, нет ни школы, ничего. Есть просто от природы голос, неразвитый музыкальный слух и способности к тому, чтобы благодаря этому сочетанию воздействовать на всех, кто тебя слушает. Но этого мало, ты не должна на этом останавливаться, тебе нужно этот пробел закрыть, нужно изо всех сил стараться овладеть нотами, чтобы не быть просто слухачкой. Без этого ничего у тебя не получится. И тем не менее она не очень внимала этим моим советам.

(Я думаю, что чтение нот, возможно, и нелишне, – но сдается , что ноты Майя знала, об этом не говорили ее хормейстеры – Орлова и Лобачева, но вот знание гармонии для эстрадного певца, не композитора, не инструменталиста? Майя стала замечательной певицей и без гармонии. А развивать голос, подаренный ей природой, было бы непростительно. Тогда мы не имели бы такого феномена, как Кристалинская, это была бы уже другая певица. – *А. Г.*)

Ее захваливали, это я помню точно, справедливо захваливали, но я видел, что у нее отношение к этому не совсем критическое. А я все время был как вожжи, я был тоже достаточно творческий человек, я к тому времени писал, и самостоятельно писал, знал, что уже не буду работать врачом, и мы с ней часто ссорились на эту тему, когда она говорила, что я не прав. И немножечко кошечка пробегала.

И однажды, это было пятнадцатого марта пятьдесят восьмого года, этот день у меня в памяти сидит в голове, был день выборов в Верховный Совет. Мы с ней накануне повздорили, но не сильно, не ругались. Я должен был идти голосовать на свой участок, он был по месту жительства моих родителей, где я был прописан, а она должна была ехать на свой участок голосовать. Я взял портфельчик, и она говорит:

«Когда ты придешь?» А я ей сказал: «Думаю, что я не приду вообще». Она сказала: «Ну ладно ерунду говорить». Я говорю: «Да, наверное, так и будет». Она решила, что я пошутил, а я ушел с этим портфельчиком к матери, к отцу, на старую квартиру. И уже не знаю, почему, из какого упрямства я не вернулся.

– А почему вдруг возникло такое решение?

– Я не могу объяснить.

– Спонтанно?

– Спонтанно. Вот так взял и сделал. А она пришла потом туда, где мы жили, – меня нет, она стала звонить домой, спрашивает: "Что такое?" Я говорю: "Ну, так я решил". Вот, так и было.

Но это не может сразу так прерваться, и у нас еще в течение полугода продолжались какие-то попытки... Так очень коротко расстались.

Конечно, у меня были определенные чувства к ней, я знаю это точно, и она, насколько я знаю, не просто так была моей женой, наверно, она тоже ко мне что-то испытывала, может быть, любила. Долго еще этот хвост продолжался, до осени пятьдесят восьмого года, а уж осенью я встретил свою будущую вторую жену, и она вытеснила из меня все, что касалось Майи. Но мы с ней были женаты официально, и время от времени она мне звонила, и мы с ней где-то пересекались, виделись. Мы были женаты до шестьдесят второго года формально, мы не разводились, ни мне, ни ей развод был не нужен, до тех пор, пока он мне не понадобился, потому что я не мог получить квартиру, и мы должны были с нею развестись. Тогда нужно было по суду разводиться, но мы с ней вместе на бракоразводном процессе не были. У меня был знакомый старичок-адвокат, частник, который сказал: «Сделаю все без вас за какие-то деньги. И тогда мы дали объявление в газету, состоялся суд без нас.

– У вас были случаи, когда вы встречались? Может быть, чем-то помогали друг другу?

– Нет, ни я не обращался к ней за помощью, ни она ко мне. Но я знаю, что она очень тепло и по-доброму относилась ко мне, так же как и я к ней. И моя мама, несмотря на напряженность в отношениях, которая у них была, до сих пор вспоминает о ней очень тепло.

> *Как блистают венцы,*
> *Как банальны концы,*

– с философской иронией заметил Вертинский, оценивая распавшиеся браки. На их свадьбе венцы не блистали, а конец был банальным по содержанию, но не банальным по форме.

А позже, накануне Восьмого марта, Арканов дал интервью газете «Московские ведомости». Газета любит пристально вглядываться в жизнь звезд – светящихся и погасших. Накануне Женского дня интервью с маститым писателем носило характер его исповеди по женской части. Это интервью называлось «Женский... Аркадия Арканова». Слова «портрет» не было, вместо него газета поместила фото писателя, на котором он был в темных очках и с возрастом стал еще больше похож на знаменитого Марчелло. Не знаю, носил ли он черные очки в молодости: как выяснилось, это у него не какая-то игра в загадочность, а всего-навсего – защита от пыли и аллергии.

Ничего неожиданного для меня в этом интервью не оказалось. Кроме одного момента, который резко меняет некоторые приоритеты. Поэтому я решил опубликовать то, что у меня записано на диктофоне.

Однако начну с газеты. С подзаголовка статьи, который сразу же раскрывает ее название (автор материала не мог увести читателя в сторону от проблемы:

«Несмотря на то что известный сатирик был трижды женат, в том числе на популярнейшей певице, вопрос о любви до сих пор ставит его в тупик».

Я лично благодарен газете «Московские ведомости» за признание Майи Кристалинской певицей «популярнейшей», тем более что в нынешней прессе, на радио и ТВ информационно-художественный бал правит молодежь и не каждый ее представитель знает, что была такая певица, популярная, но не попсовая. Я говорю это не в укор, понимаю, что жизнь – это не только смена формаций и режимов, это еще и новые песни, и новые исполнители. Что же касается любви, то здесь поставлена жирная и честная точка.

Ирина Орлова-Колик, за несколько лет до этого оставившая хор МАИ, но по-прежнему дружившая с Майей, присутствовала на свадьбе. Человек прямой, бесхитростный, как и всякие люди такого рода, допускающие иной раз бестактность, прощаясь с Майей в передней, на ее вопрос: «Ну как тебе он?» – выпалила вдруг:

– Ты с ним расстанешься.

– Что ты говоришь! – изумился ее супруг Леня Сурис, стоявший рядом.

Майя молча поцеловала Ирину при прощании.

Уход мужа, да еще столь неожиданный, может любую женщину ввергнуть в глубокий шок. Так было и с Майей. Ушел, и все. Прошло два года, когда Майя в один присест, торопливо, как вопль души, написала «киносценарий» – для себя, конечно, и не сценарий это, скорее, дневник, диалоги «Он» – «Она» сбиваются на обычный рассказ о событиях, которые произошли в ее жизни после знакомства с Аркановым. Сценарий сохранился в архиве Валентины Ивановны Котелкиной и представляет собой листов двадцать пожухлой от времени бумаги, исписанных карандашом. Почерк Майи – крупный и не очень четкий, видимо, душу изливала безостановочно, ее рукой водила обида и боль от воспоминаний. Для достоверности позволю себе процитировать самое его начало, первые две страницы. Не следует сетовать на литературный стиль, писал не литератор, не сценарист, а молодая женщина, только приходящая в себя от любовной драмы.

Серый декабрьский день. Утро. Рынок. Народ спешит. Панорама рынка дается с высоты семиэтажного дом?

Голос диктора. Этот день не был примечателен. Хозяйки привычно спешили на базар, а в одной из комнат нового дома разыгрывалась настоящая драма.

Наплыв на окно и затем в комнату. Комната обставлена бедно: шкафчик, стол, три стула, тахта, кресло, кровать.

За столом друг против друга сидят Он и Она. Оба в пальто, – видимо, собрались уходить. У обоих вид измученный, на лице следы глубоких переживаний

Он. Нужно идти. Уже одиннадцатый час. Пошли.

Она (встает и тут же опускается). Нет, не могу! (Медленно текут слезы.) Не верю. Не хочу. Не любишь…

Он встает, подходит к окну. Из окна виден рынок.

Смотрит все время в окно.

Она (продолжая). Тридцатое апреля…

Комната исчезает, сменяясь сценой в зале.

Она на сцене. Квартет. Исполняется веселая песенка. На ее лице нет и тени печали. Полная противоположность первому эпизоду. Песня кончается. Аплодисменты. Выходит на сцену раз, второй. Затем проходит за кулисы. Глаза полны только что пережитым… Подходят знакомые ребята, что-то говорят. Подходит Юра, юноша лет 24-х, небольшого роста, очень симпатичный. Вместе с ним – Он.

Он и красив и в то же время – нет. Высокого роста, худой. Большие серые глаза, нос небольшой, лицо умное.

Юра знакомит его с нею. Она не обращает особого внимания на него. Собирается уходить, но начинается гроза. Она подходит к телефону.

Она. Виталий! Мы сегодня не увидимся. Почему? Идет дождь. Я устала.

Голос в трубке: «Я возьму плащ и приеду на такси».

Нет, нет. Спокойной ночи.

Кладет трубку. Возвращается к ребятам, садится в кресло. Они напротив, беседа идет довольно непринужденно. Он все время курит, глядя в глаза, говорит мало. Постепенно дождь прекращается. Они втроем весело выходят на улицу.

Пройдя несколько шагов, Юра встречает знакомую, останавливается. Они идут дальше. Юра догоняет их, просит извинения, возвращается к своей знакомой. Уходят в противоположную сторону.

Они продолжают идти. Чувствуется, что каждый приятен друг другу, но не больше.

Он. А вам нравится эстрада?

Она. Да. Но я люблю классику. Правда, странно?

Он. Почему же. Я тоже люблю хорошую музыку.

Она. Странно. Я не подумала бы – вид-то у вас довольно легкомысленный. Ну что ж, давайте играть в концерт-загадку.

Весь остальной путь проходит за этим занятием. Он напевает ей мелодию, она отвечает – и наоборот. Чувствуется, что они оба достаточно разбираются в этом. От Дзержинской они идут по улице Горького к «Маяковской». Вот они едут в метро. Недалеко от «Пушкинской» встречается его знакомый и приглашает ее отметить 1 Мая вместе с ними. Как ни странно, она сразу соглашается без тени кокетства. Вот они едут в метро. У Красных ворот выходят, поднимаются по эскалатору. У конца эскалатора останавливаются.

Она. Ну ладно. Я дойду одна. Уже поздно.

Он. Я позвоню завтра. Какой телефон?

Она говорит, он не записывает.

Она. Ведь забудешь.

Он. Нет:

Он. До свидания. Жду. (Убегает.)

Он по эскалатору едет вниз.

Дальше в сценарии было зафиксировано многое из того, что происходило в эти десять с половиной месяцев (не будем обращать внимания на некоторые расхождения в датах у обеих сторон). Подробностей нет, есть внешняя канва событий и отношение к ним Майи, есть и горечь, и радость, есть встречи, размолвки, ее концерты, вспыхнувшая любовь к нему, его внимание и отчуждение, слезы, рыдания, ожидание звонков и наконец – расставание, развод. Все как обычно в молодых семьях молодых людей, когда характеры испытываются на готовность к дальнейшему сосуществованию. Поражает только скоропалительность свадьбы и развода. Что ж, бывает…

А вот финал сценария.

Перебирая сейчас эти листки, пришла к выводу, что нужно закончить изложение сей печальной повести. Вот уже прошло почти два года с момента знакомства, а он уже успел жениться во второй раз.

Что же? Такова логика вещей. Жалею ли о нем? Нет, нет, нет! Да нет же – вообще ничего нет уже к этому человеку. Все в прошлом. Это своего рода для меня хеппи-энд».
Как будто она убеждала себя – «не люблю».

Я бы не стал писать об этой брачной истории – не дело копаться в чужих чувствах, определять, есть они или нет, но Аркадий Михайлович ее не скрывает.

2. Новое время — новые песни

Фестиваль растаял, оттремев положенное ему число дней, Москва попрощалась с ним неохотно, тридцать лет ее «заточения» были стерты за какие-то четырнадцать дней; будто и не существовало оттороженности одной шестой части суши от остальных пяти шестых. Праздник, словно свалившийся с милостиво разверзшихся небес, оставил после себя сожаление, как и каждый праздник, который по всем законам календаря сменяется буднями. Будни же несут проблемы и заботы, к которым трудно поначалу приноровиться.

Лауреат международного конкурса Майя Кристалинская оставалась все же инженером в конструкторском бюро, где, несмотря на ее лауреатство, относились к ней как к обычному сотруднику: пение пением, а расчеты – расчетами. Да и сама она никогда не упоминала о медали, считала нескромным. Правда, уважения к ней прибавилось, но не убавилось работы, и звонок, означавший окончание трудового дня, заставал ее с логарифмической линейкой в руках.

Но вечерами снова был ЦДРИ, уже без Юрия Саульского с его «серебряным» оркестром. Не хватало оркестра, а именно он придает любому представлению еще и зрелищность, и недаром при создании «Первого шага» идея создать для него оркестр принадлежала Утесову, который с молодых лет знал, как сделать представление увлекательным и ярким.

В ЦДРИ шли репетиции новой программы, название ей дали вполне подходящее для того, чтобы не прекращалась осада дома во время представлений, – «Молодые москвичи». И снова молодые москвичи, посмотрев очередную программу эстрадного ансамбля, приходили затем в ЦДРИ, пытаясь пробиться на его сцену и стать артистами, но на их пути вставала конкурсная комиссия, и приговор ее чаще бывал суровым и обжалованию не подлежал.

Среди тех музыкантов, кого бережно опекал «Первый шаг», был инструментальный квартет Владимира Петренко. Для Майи же это означало многое, она могла по-прежнему оставаться в стенах ЦДРИ, выступая с квартетом. Дружба их была не столь давняя, но прочная.

Год назад, в один из вечеров, когда в зале закончилась репетиция, на сцене появилась Майя, которую здесь никто еще не знал, к роялю сел Фармаковский, а в зрительном зале, в первом ряду, расположился сам Папа – не только худрук и «законодатель» «Первого шага», но еще и музыкант (он окончил Ленинградскую консерваторию), умевший зорко высматривать новые таланты. Увидев, как Петренко, уложив в чехол свой аккордеон, спускается в зрительный зал, Папа подозвал его и, показав глазами на Майю, тихо сказал: «Садись и слушай».

И Володя Петренко, понимая, что Разниковский на пороге очередного открытия, сел рядом и превратился в слух.

Это была его первая встреча с Майей Кристалинской, пока еще на значительном расстоянии, он был только в роли слушателя и еще не предполагал, что эта встреча не будет последней и окажется, что судьба преподнесла ему редкий подарок. Девушке в скромном костюмчике, заворожившей его сразу же своим голосом, он, вслед за Саульским, поможет обрести уверенность в себе и – громкое имя.

Инструментальный квартет, который возглавлял Владимир Петренко со своим перламутровоклавишным другом, прочно обосновался на сцене ЦДРИ.

Петренко нужны были вокалисты. В «Первом шаге» они были. Например, вокальный женский квартет – Элла Ольховская, Роза

Романовская, Зоя Куликова, Инна Мясникова, или попросту – Элла, Роза, Зоя, Инна (в пятьдесят шестом они снялись в «Карнавальной ночи», вспомните – четыре девушки в расшитых платьях у столиков и Гурченко со сцены поют «Песенку про пять минут», женский квартет был безымянным, и Эльдар Рязанов, постановщик фильма, про себя называл его ЭЗРИ, сложив первые буквы имен этих обаятельных девушек. В начале шестидесятых им придумали название «Улыбка», но вскоре в квартете произошла «ротация»: Элла, Роза, Зоя, Инна уже ушли к тому времени из «Первого шага» на профессиональную сцену.

Выбор был небольшой, и Петренко остановился на двух вокалистах – Александре Некрасове и Майе. Но не Кристалинской, ее тогда еще не было, а Булгаковой.

Будущая кинозвезда тогда только окончила ВГИК и сразу же снялась в фильме «Вольница».

А в середине пятидесятых Булгакова, человек самобытный, решила вдруг бросить кино и уйти на эстраду.

И Майя Булгакова пришла в ЦДРИ в «Первый шаг», чтобы не только попробовать, но и перейти на новое поприще.

И вот два вокалиста – Майя Булгакова и Александр Некрасов, этот московский Монтан, двойник, подражавший своему парижскому оригиналу, – его, как и любвеобильного француза, осаждали толпы поклонниц, требовавших на концертах бисировать чуть ли не каждую песню, вместе с «Первым шагом» вошли в программу «Молодые москвичи».

Программа была уже почти готова, когда Папа – Разниковский пригласил Володю Петренко послушать новую певицу, пришедшую в «Первый шаг».

Майя спела в тот вечер «Скалинателлу» на итальянском языке и «Коимбру» на испанском.

А когда знакомство состоялось, Петренко без всяких раздумий попросил у Папы разрешения пригласить Майю в свой квартет. Папа же, улыбнувшись, сказал, что он лично не возражает против такого содружества, наоборот, приветствует его, но пока, возможно, придется повременить. Дело в том, сказал Разниковский, что он должен представить Майю Юрию Сергеевичу. Папа уважал Саульского, видел, как тот трудится с новым оркестром, и знал, что он ищет певицу для своей программы.

Петренко тоскливо посмотрел на Разниковского и на Майю и хотел было уйти, но в это время Майя вдруг обратилась к Разниковскому:

– Эммануил Самойлович, но ведь одно другому не мешает. У Юрия Сергеевича я не буду занята полностью, если он, конечно возьмет меня...

– Возьмет, – без тени сомнения сказал Папа. – Но что получится? Вы будете работать с Саульским – и еще с Петренко? Силенок-то хватит? Ведь вам еще на работу ходить нужно!

– А я и там пою!

– Как?! Во время работы?

– Во время обеда...

Вот так было год назад, когда Майя Кристалинская впервые встретилась с Володей Петренко.

Она начала работать с Саульским и все же выкраивала время и для квартета Петренко, пела с ним свой небольшой репертуар и постепенно переходила с иноязычных песен на русские – да и немодно становилось петь на чужих языках, своих хороших песен появлялось все больше и больше. Стал писать песни и Петренко, увлеченный не только аккордеоном, но и композицией, для квартета он сочинял инструментальную музыку, а к песням перешел, когда появились вокалисты.

Одну из его песен пела и Майя, автор стихов ей был хорошо известен – Аркадий Арканов...

Песню Владимир Петренко написал специально для Майи.

Ты ушел, ничего не ответив,
И всю ночь провела я без сна.
Для меня был закат на рассвете,
А кругом разливалась весна...

Это была песня о неразделенной любви – такое бывает очень часто. И не реже бывает то, что произошло – с весной «уплывали надежды, уносимые вешней водой», а потом все закончилось, потому что весенние талые воды угасили былую любовь». И «ни к чему начинать все сначала».

3. «Тишина»

Майе нужны были новые песни. Ее репертуар стал меньше после того, как постепенно исчезли песни иноязычные, нужно искать новые. Песен она знала много, но почти все они были «запеты», хотя у каждой имелся свой «основной» исполнитель. Их могли петь любые певцы, это не считалось зазорным, главное, чтобы песня была популярной, чтобы залы при ее исполнении замирали.

Одной из песен, которая тут же, при появлении своем, пошла в народ, была «Тишина» Эдуарда Колмановского и Виктора Орлова, талантливого поэта-песенника, с которым работали многие композиторы. Только стоило «Тишине» появиться, как она тут же была дружно «обласкана» музыкальной критикой. А песня-то с огромным щемяще-тревожным настроением, которое называли «безысходностью», настоящая «интимно-негромкая», с человеческим сердцем. В этом небольшом разделе советской лирической песни – одна из самых мелодичных и глубоких.

> *Ты меня не ждешь давным-давно,*
> *Нет к тебе путей-дорог.*
> *Счастье у людей всего одно,*
> *Только я его не уберег.*
> *Снова мне покоя не дает*
> *Горькая моя вина.*
> *Ночью за окном звенит, поет*
> *Тишина...*

Песню пел Владимир Трошин, артист МХАТа, для которого добрая и безразмерная эстрада с поклоном распахнула двери на свою сцену, и актер певец здесь сразу стал своим. При крепком, мужественном голосе Трошин пел с заметной интимной интонацией, и его сразу поставили в тот ряд, где находились Шульженко, Бернес, Великанова. Благодаря ему начался феерический успех «Подмосковных вечеров», с голосом Трошина эта песня слилась навсегда, он был первым и единственным ее исполнителем.

И вот теперь – «Тишина».

Несмотря на то что песня была признана мещанской, особой директивы на ее запрет не последовало, по радио она продолжала звучать, хотя и редко, но волны неприязни к ней не улеглись. Трошин пел ее великолепно, и это говорило о том, что состязаться с ним не следует. Майя выучила песню в одно мгновение и предложила Володе Петренко и квартету аккомпанировать ей в ближайшем концерте. Но не в новой программе «Первого шага», которая готовилась в ЦДРИ, – это было невозможно после статьи «Музыкальные стиляги», в стенах на Пушечной теперь осторожничали, газеты и журналы читали и того, что на смену «Тишине» придут в цитадель искусства громовые раскаты оргвыводов, опасались. Как мне рассказывала вдова Эммануила Самойловича Разниковского, однажды на одном из концертов в зале появился опальный Владимир Высоцкий – послушав немного, он неожиданно поднялся на сцену и спел одну песню. Конечно, ЦДРИ не место для подобных экспериментов с нежелательными элементами из числа работников искусств. Высоцкому аплодировали с диссидентской страстью, и в аплодисменты зала влились и хлопки Эммануила Разниковского, который как худрук Дома был ответственным за концерт. Но Разниковский не только не посылал артиста на сцену, он и не знал, что тот придет на концерт.

Утром следующего дня последовал звонок из райкома партии с вызовом на ковер, где худрука ждала выволочка, после которой он долго размышлял: «Кто же стуканул?»

Майю не смутило, что «Тишину» поет Трошин, что песня эта – «мужская» по содержанию. Петренко сделал аранжировку, и песня, написанная на оркестр, не потерялась, как Майе казалось, в небольшом составе. Ей очень хотелось увидеть Колмановского, познакомиться с ним и пригласить на концерт, в котором она будет петь «Тишину». Со всех сторон Майя слышала – «Эдик, Эдик», но на подобное амикошонство была неспособна, «Эдик» – для других, для друзей или набивающихся в друзья к композитору, уже известному и признанному не только в музыкантских кругах. Он был для нее «Эдуард Савельевич», так она называла его вслух, ведь он почти на десять лет старше и к тому же не похож на общительного, сразу готового на контакты человека.

Эдуард Колмановский

С Колмановским Майя столкнулась нос к носу в ЦДРИ вскоре после того, как «Тишина» была отрепетирована. Разговор был недолгим. Майя назвалась, Колмановский посмотрел на нее своим серьезным, умным и изучающим взглядом, обычно несколько отсутствующим, но тут во взгляде читался явный интерес. Поклонниц он не любил, все же композитор, а не душка-тенор, был немного анахоретом; но перед ним стояла девушка, которая не изливала своих восторгов по поводу «Тишины», а предлагала послушать ее в своем исполнении. Мало того, еще просила прощения за наглость – петь после Трошина эту песню нельзя, но ей хочется, просила прийти на концерт, когда она будет петь «Тишину», это – скоро, через несколько дней, пожалуйста, Эдуард Савельевич, найдите время.

Он не возражал.

Майя знала о нем немного: что когда-то он работал на радио, был чуть ли не завотделом эстрады, слыл мягким для руководства редакторами, но однажды вдруг без всякого предупреждения подал заявление об уходе – и был таков. И его никто не удерживал, заведующий должен быть в первую очередь чиновником, а уж потом композитором; и он ушел – писать музыку в спокойствии, на которое променял чиновничьи дрязги и интриги. Но не знала Майя и никто тогда не мог этого знать, что без Эдуарда Колмановского и его песен – «Я люблю тебя, жизнь», «Хотят ли русские войны», «Бирюсинка», «Мы вас подождем», «Вечер школьных друзей» – неполной была бы та когорта великих мастеров песни, которых породила советская эпоха, оскорбляя их, унижая, воскрешая. И мы поняли сегодня, что когорта эта дала значительную долю той привлекательности ушедшей эпохе, что держала ее на политическом плаву более семидесяти лет.

На этот раз концерт квартета с участием Кристалинской проходил в просторном зале одного НИИ на Бауманской, где Петренко подрабатывал, руководя самодеятельным музыкальным кружком. Зал был полон, концерт шел спокойно, без всяких «взрывов». Майя не выходила, ждала Колмановского, а когда увидела его в дверях, а затем пробиравшегося к свободному креслу, вышла на сцену. Ей долго аплодировали после песен Петренко, а затем она, глядя в сторону Колмановского, объявила «Тишину». По залу прокатился вздох радости и аплодисменты наиболее эмоциональной его части, что всегда встречают всенародно любимую песню. Майя запела «Тишину», глядя в сторону автора и не видя его от волнения.

Она вся ушла в песню, и так было всегда, когда она пела, и так будет всегда – петь не думая, о чем поешь, она не могла, – и все же неотвязно стучал в голове вопрос: «Как он слушает?»

Колмановский неотрывно смотрел на певицу, и это успокаивало Майю – не вертится по сторонам, не скучно ему, и точно так же сидел весь зал – в каком-то оцепенении, не сводя глаз со сцены; аплодисменты

Владимир Трошин

грянули после маленькой паузы, Майя несколько раз поклонилась и быстрыми шагами ушла со сцены, ее вызывали, пришлось снова выйти. И все время видела стоящего у сцены и аплодирующего Колмановского. Сколько раз ей придется петь перед авторами, уже будучи известной, заслуженной, когда пришло мастерство, она знала, как сделать песню, никогда не сшибалась и все равно, исполняя в первый раз песню, боялась недовольства композитора: ведь авторский замысел и его воплощение не всегда совпадают, и это касается не только песни. И все же появится привычка и волнение быстро уляжется. А вот исполняя «Тишину», она впервые предстала перед композитором – не считая Володи Петренко; но он был «свой», с ним и поспорить можно. Да еще осмелилась пригласить не кого-нибудь, а Колмановского – это же был риск, ведь композитор может поблагодарить и удалиться, хотя по его глазам видно, что автор не разочарован.

Колмановский прошел за кулисы. Вежливый, воспитанный человек, немного импульсивный. Никогда не умел скрывать своих чувств, был искренен, прямодушен и открыт. Вначале он поздравил Петренко, назвал его работы профессиональными (автор многих песен, музыки для театра и кино имел на это право) и посоветовал не бросать песню. А затем обратился к Майе, взял ее руку и поцеловал. Сказал, что низко кланяется ей за труд, что знает о ней, но вот впервые услышал и смеет утверждать, что у нее – большое будущее. Что просит ее и дальше петь «Тишину» и надеется, что с ее помощью песня останется на сцене, не будет изгнана. И сказал, что рад будет в дальнейшем сотрудничать с ними.

Отношения Майи и Колмановского с той минуты начали свой бег. Вскоре Майя запела его песни, и среди них была одна, на мой взгляд, самая лучшая их работа – «В нашем городе дождь».

А «Тишина», как и хотел Колмановский, осталась надолго в репертуаре Кристалинской. Хотя сама она считала, что Трошин поет лучше.

Глава восьмая

«ШЛЕЙФ КОМЕТЫ»

1. «Первый шаг» и «Хабанера»

Эстрадный ансамбль ЦДРИ после фестиваля делал уже не первый шаг, а второй и третий. Репетировались и выносили на суд зрителей новые программы. Актеров-профессионалов задели за живое успехи, популярность и работоспособность самодеятельных коллег из ЦДРИ, который для них стал альма-матер: многие из них ушли работать в театр, кино и на концертную эстраду. Попрощались с Савелием Крамаровым, Ильей Рутбергом, Майей Булгаковой, в труппу пришла и студентка иняза Ирина Подошьян, квартет «Четыре Ю», а профессионалы, чтобы не отстать, решили, как на гребных гонках, обогнать «Первый шаг» и бросили в пучину смеха свою творческую группу, которая называлась «Крошка», а ее программа – репризно – «Из Пушечной – по воробьям». Плод этой «Крошки» был из разряда «овощных» – капустник, что всегда приветствуется в каждом театре.

Профессиональная «Крошка» – это одно из достоинств ЦДРИ, приносящее дому больше славы, чем хлопот. После десяти вечера на Пушечную бежали актеры московских театров, на ходу стирая грим и дожевывая бутерброд. Участников было хоть отбавляй, и все вкладывали сюда то, чему их учили в театре.

Самодеятельный «Первый шаг» – это тоже достоинство, но приносившее много славы и столько же хлопот. Возможность блеснуть здесь достается тяжелее – все же с утра работа.

Сохранилась целая поэма безвестного автора-стихотворца, запечатлевшая многое из того, что было связано с предстоящей премьерой последнего представления «Первого шага». Она называется «Дружеский шарж».

Из экспозиции поэмы:

Ансамблю лишь всего три года,
Дите уж начало шагать,
Но стала вдруг мельчать порода
И ноги стали изменять.
Прогнили зубы, волос редкий,
Не слышится сатиры меткой;
И разговорников – три роты,
Лишь знает бог, где их нашли,
Времен заветных. Анекдоты
Здесь выдают как за свои.

Но вот все вроде зарядились,
Слегка трясясь, перекрестились,
И начинается пролог,
Провала верного залог.
Позвольте, кто сказал – «провал»?
Но первый номер подтверждал
Подобное предположенье.

Далее пошли номера, не вызывавшие у зрителей большого энтузиазма. Выступил певец, «Крошка-лошадь», который «разил со сцены наповал, как будто пел здесь коновал»; затем танцевала «Грезы любви» балерина, выступали разговорники, пел «слащавый рыцарь дам...

И – наконец:

И вдруг – обвал, волна оваций
Несется, словно цвет акаций.
То Майя, Майя – «Хабанера»,
Кончает петь «Ларевидера»!
Прошла блестяще, лучше всех!..

Это, пожалуй, первая рецензия, хоть и неопубликованная, хоть и шуточная, написанная для узкого круга посвященных, она хранится в архиве Валентины Котелкиной вместе с Майиным сценарием, ее письмами, записками, вырезками из газет и номерами многотиражки МАИ, пахнущими старой бумагой и временем, постепенно уходящим из нашей памяти.

Почему Майя – «Хабанера»? Скорее всего, потому, что одна из самых любимых оперных арий Кристалинской была «Хабанера» из «Кармен».

Майя часто напевала ее, но исполнять со сцены не решалась. Возможно, что «Хабанера» была прозвищем Кристалинской времен «Первого шага».

Но это второстепенные сведения, полученные из стихов. А первостепенные – «обвал, волна оваций... Прошла блестяще, лучше всех». Это подтверждение слухов об успехе Майи Кристалинской в «Первом шаге», а значит – в ЦДРИ, а значит – у той публики, что набивалась в зрительный зал.

«Первого шага» уже давно не существует.

Это было удивительное время, когда вокруг все казалось ярким и праздничным, когда те, кто пережил мрачную эпоху, были намного светлее, чем она сама. Длинный и темный тоннель закончился, забрезжил свет в его конце.

И люди потянулись друг к другу. Истомившиеся по добру, они творили добро и жили по принципу трех славных мушкетеров: один за всех и все – за одного! На эстраде же раскрывались личности, которых мало сегодня. Певцы стояли за кулисами и слушали товарища, помогали друзьям встать на ноги, ободряли, если был провал и радовались общей радостью если к кому то приходил успех.

Один за всех и все – за одного! Так поступали мушкетеры советской эстрады пятидесятых.

2. «О. Л.»

Осенью пятьдесят восьмого «Первый шаг» несколько притормозил свою победную поступь в ЦДРИ, затем и вовсе остановился, объявив перерыв. Никто не знал, сколько он продлится, и труппа стала понемногу расползаться. «Первого шага» явно нс хватало. Просьбы выступить в концертах у Майи были часты, телефон иной день разрывался звонками, и Валентина Яковлевна без конца бегала в коридор, брала трубку и сердито говорила, что Майя – на работе. А на работу звонить не полагалось.

И редкий вечер у Майи оказывался свободным. Приехали итальянцы, например, какая-то делегация. Делегацию принимали с размахом:

встречи, бесконечные рукопожатия, улыбки, замершие на устах хозяев и гостей, украшение встречи – концерт в честь гостей, желательно с угощением – итальянскими песнями на их родном языке. На концерте Майя пела песни из репертуара Гуальтьеро Мизиано[1].

Для встреч с иностранными делегациями Майя была находкой: она пела не только по-итальянски, но и по-испански и по-английски с завидным для студентов иняза произношением, да и вообще могла петь на любом языке, не зная его. Иностранные слова, записанные русскими буквами, и музыкальная память – вот ее оружие, и стреляло оно так, что Майю долго не отпускали со сцены. Внешне же Майя вполне могла сойти за итальянку, испанку, гречанку. Известность ее росла, когда она появлялась на концертах, ее внимательно разглядывали, как это бывает, когда звезды прилюдно находятся в самой обыденной обстановке.

Захваливали ли ее? Не без этого. У любого человека, независимо от профессии, может закружиться голова от комплиментов в его адрес. Что уж говорить о девушке, попавшей в мир, когда-то для нее недоступный! Но судя по тому, что Кристалинская продолжала честно ходить на работу в КБ, не решаясь искушать судьбу и круто изменить свою жизнь, не очень-то верила она в свою исключительность.

И все же выбор, который так долго отодвигала от себя Майя, состоялся.

Как-то на улице она увидела афишу о предстоящих концертах оркестра Олега Лундстрема. Слово «джаз» на афишах отсутствовало, Майя этот оркестр никогда не слышала по той причине, что он, «прописанный» в Москве, в родном доме бывал редким гостем. Гастроли длились по месяцу и больше, везде оркестр был нарасхват; по два концерта в день, и оркестр наскоро показывался в Москве перед очередными гастролями.

Фамилия «Чохели» стояла крупным шрифтом после фамилии Лундстрема, и Майя вдруг, неожиданно для себя, решила встретиться с Гюли, которую она знала, работая вместе с ней в оркестре Саульского, и не виделась с тех пор, как оркестр исчез из ЦДРИ. Ходили слухи, что тбилисская красавица Гюли вышла замуж за московского пианиста Бориса Рычкова, джазового кудесника, и работает теперь у Лундстрема. Майя захотела повидаться с Гюли, поговорить с ней об оркестре и... – а вдруг получится? – попроситься к Лундстрему.

---

[1] Сын итальянского коммуниста, инвалид, жил в СССР, его песня «Два сольди» была очень популярна.

На следующий день, уйдя с работы пораньше, она отправилась в оркестр, на его базу на улице Герцена. Судьба, доселе всегда благосклонная к ней, не отступилась и на этот раз, и это было ее последнее благодеяние. Майя не застала Чохели, но второй дирижер оркестра Алексей Котяков, узнав ее, пригласил к маэстро. Разговор с Олегом Леонидовичем был недолгим – Лундстрем, в котором текла кровь викингов, человек не очень многословный, сразу предложил Майе стать солисткой его оркестра, войти в штат, на что Майя тут же дала согласие и вдруг, опомнившись, сказала с сожалением: «Но ведь ваш оркестр – джаз, а я…» На что Лундстрем, пряча улыбку в свои пышные усы, ответил: «А вы не волнуйтесь, ваши песни мы немного сджазируем…» Оставалось только уволиться из КБ…

Оркестр Лундстрема был одним из лучших джаз-оркестров Москвы. История у него была богатой и необычной, как и жизнь его руководителя, носившего шведскую фамилию деда, обрусевшего скандинава, ученого-лесовода. В тридцатых гражданин СССР Олег Лундстрем жил в китайском Харбине, куда был послан работать его отец, и здесь же настигла его первая любовь – к джазу.

И вскоре Лундстрем создал тот самый оркестр, который после войны перекочевал в Казань, а затем – спустя почти десять лет – в Москву. Конечно, состав его уже стал другим, но – те же буквы «О. Л.» красовались над оркестром, когда он выступал с концертом, – и совершенно справедливо, это был горячо поощряемый музыкантами «культ личности» маэстро Олега Лундстрема.

У Олега Леонидовича хранилось много записных книжек. Не с телефонами – маэстро был пунктуален и деловит: в записных книжках – «регистрация» всех городов, в которых побывал оркестр в течение того или иного года, с датой приезда и отъезда, количеством данных концертов, репертуаром певцов (в том числе и Майи Кристалинской) и оркестровых пьес. С 1956-го до конца девяностых.

Оркестр был приглашен в Москву во многом благодаря Шостаковичу, который лестно высказался о нем на одном из совещаний в Министерстве культуры.

Об этом рассказывал мне сам Олег Леонидович. Он сидел в кресле за своим рабочим столом на базе оркестра, на Басманной, – неподалеку от дома, где жила когда-то Майя Кристалинская. Седой, с такими же пышными усами, как и сорок лет назад, но только – белыми, этот вось-

мидесятитрехлетний крупный человек поражал еще и тонкими изящными пальцами совсем не старческих рук.

В тот год, когда после статьи «Музыкальные стиляги» был расфор-
мирован оркестр Юрия Саульского, Лундстрем чудом устоял. И чудо это
явилось в лице министра культуры СССР Николая Михайлова. А произошло оно на московском фестивале. Шел заключительный концерт конкурса танцоров в Колонном зале Дома союзов. Убраны кресла, они стоят
по бокам площадки, на которой выступали танцоры, публики – море,
между колоннами яблоку негде упасть. В зале – министр культуры.

Выступают чемпионы Англии. В программе то, что было на конкурсе, – медленный вальс, быстрый вальс, фокстрот. Красивое зрелище –
танцоры элегантны, стройны, на партнере – фрак, партнерша в баль-
ном платье. Для танцоров играет оркестр Лундстрема. Программа ис-
полнена, чемпионам устроена овация, и вдруг из зала летит запретное
в то время слово: «Рок-н-ролл! Рок-н-ролл!» Его подхватывает зал и начинает требовать: «Рок-н-ролл! Танцоры бросаются к Лундстрему: «У вас
есть рок-н-ролл?» Лундстрем отвечает: «Есть!», но тут же к нему подбе-
гает бледный руководитель конкурса: «Что делать, Олег Леонидович?»
Лундстрем спокойно отвечает: «Спросите у министра». Перепуганный
руководитель бежит к министру: «Как быть, Николай Михайлович?» Министр: «Раз просят, надо сыграть». И оркестр заиграл. Когда танец закончился, зал загремел: «Браво!» Затем уж и слово «бис!» взлетело к лю-
стре: И оркестр начинает бисировать.

А потом танцоры подбежали к Лундстрему, чтобы поблагодарить,
завязалась короткая беседа, к удивлению танцоров – на английском
языке. Музыканты говорили по-английски, восхищаясь их танцем! Это
изумило московских гостей окончательно.

Но этот номер, да еще с «бисированием», для Лундстрема так просто
не прошел: в отделе культуры ЦК состоялась джазовая разборка, статья
«Музыкальные стиляги» свое дело сделала после Саульского, на очереди был Лундстрем со своим оркестром, и, судя по всему, до закрытия
очередного московского джаз-оркестра оставались считанные часы.
Особенно витийствовал парткультуртрегер с фамилией, носящей
библейский оттенок, – Апостолов, но по своим воззрениям далекий от
христианской терпимости. Дать бы ему волю, и оркестр был бы выслан
обратно в Казань, а его руководителя, этого шведа можно бы отправить
подальше, в родную Читу. Но на совещании в ЦК слово взял сильный

и авторитетный в партийных кругах министр культуры Михайлов, не только очевидец, но и участник происшедшего в Колонном зале триумфа рок-н-ролла. Он заявил, что джаз запрещать нельзя; при всем желании товарища Апостолова сделать это невозможно, потому что джаз завоевал весь мир, а если мы хотим жить в дружбе со всеми народами, нам следует считаться с их вкусами. И потом, джаз джазу рознь. Лундстрем играет не буржуазную музыку, а, например татарскую, это оркестр с широким профилем и широкой сферой деятельности.

Это был аргумент, неожиданный для Апостолова, и поэтому тот сник.

Так что татарская музыка (в Казани сам Лундстрем написал оркестровую пьесу «Легенда о Сююмбике», построенную на народных татарских мелодиях, дай бог ей здоровья, выручила советский джаз от очередного изгнания.

В этих эпизодах прослеживается любопытная закономерность. Стараниями комсомола джаз в преддверии московского фестиваля был частично освобожден от запретительных пут и повернут к фестивальным вершинам. В конце июля – первой половине августа 1957 года его можно было услышать в Москве: джазовые составы приехали на фестиваль из разных стран. И вот бывший комсомольский руководитель в масштабе страны Николай Александрович Михайлов во всеуслышание (и где – в ЦК!) защищает джаз вообще и оркестр Лундстрема в частности. Так что комсомол и партия не всегда были едины. Но партия дала в руки комсомолу игрушку и теперь, отойдя чуть в сторону, смотрела, что любимое дитя с ней сделает. А дитя любило танцевать фокстроты и приветствовало рок-н-ролл.

Итак, оркестру Лундстрема и ему лично отпустили грехи, но баланс сил еще не раз будет изменяться. Однажды чаша весов круто пошла вниз под нажимом недоброжелателей джаза со Старой площади.

Во время XXII съезда КПСС – напомню, съезда исторического, продлившего «оттепель» в наших краях, – шел концерт для его делегатов, забивших зал Кремлевского дворца в отсутствие еще не построенного Дворца съездов. Концерт для делегатов съезда – дело ответственное, его постановку доверяют режиссерам, понимающим толк в массовых зрелищах, участвуют в концерте, как правило, именитые хоры, оркестры, ансамбли песни и пляски, и каждый, кто ставит такой концерт, всегда старается чем-то удивить, показать размах, соригинальничать, чтобы заслужить похвалу первого секретаря ЦК, непременно находившегося в зале. Так было и на этот раз. Постановщик согнал воедино целых четыре оркестра, один мощнее другого! Можно себе представить силу звука, обрушившегося на капитально сложенные стены театра в Кремле, не слышавшие ничего подобного. Они же могли рухнуть! А заиграл этот объединенный оркестр «Нам песня строить и жить помогает». На этот раз песня не только не помогла постановщику, но и помешала довести его режиссерские замыслы до завершения – до собственного триумфа. Не выдержав грома победы, разъяренный Никита Сергеевич выскочил из ложи, шариком скатился по лестнице и больше в зал не вернулся. Постановщику же потом вместо премии выдали билет до Якутска, где на безбрежных просторах он получил возможность воплощать свои идеи целых четыре года, пока не был прощен уже брежневской Москвой. Для оркестра же Олега Лундстрема жизнь на некоторое время оказалась не в радость, на него, как и несколько лет назад на Саульского, показывали в чиновничьих кругах пальцем – «это тот Лундстрем, который...». Но постепенно все улеглось, кризис миновал вместе с уходом на пенсию по состоянию здоровья главного пострадавшего.

Алексей Афанасьевич Котяков пригласил Майю на прослушивание, что называется, в рабочем порядке, и вовсе не с тем, чтобы убедиться в правильности выбора маэстро, а чтобы поближе познакомиться с ней и определить ее репертуар. Так же как и Олег Леонидович, он не только слышал ее, но еще и знал мнение знатоков эстрады о том, что Майя – без пяти минут звезда.

Но, послушав ее в репетиционной комнате, он решил прибавить к этим «пяти минутам» еще немного времени, чтобы обновить репертуар: кроме зарубежных песен должны быть и советские.

Он прослушал «Тишину», Майя очень старалась, чтобы эта ее любимая песня Котякову понравилась, и так оно и случилось. Алексей Афанасьевич и впрямь был очарован пением Майи, но сразу же сказал, что «Тишина» – песня, конечно, замечательная и на тех, кто ее ругает, обращать внимания не стоит, но пока она не в счет – выходить следует в первую очередь со своими песнями, и они подчеркнут ее индивидуальность, а «Тишину» запели многие, не говоря уж о том, что песня эта – Трошина и Трошин вне конкуренции.

Но Котяков считал, что окончательно расставаться с песнями на иностранных языках было бы опрометчиво, торопиться не нужно, все же благодаря им Майю заметили. Но не только благодаря ее пению эти песни стали популярными, они и сами по себе хороши, не так уж много певцов и певиц, которые любят петь нечто подобное, они – наперечет, а Майя – одна из лучших, если не сказать прямо – лучшая. Но нужно обновлять эту часть репертуара; и Котяков предложил взять две песни, которых Майя еще не пела. Первая – «Тротена карайре», поется на португальском, песня бразильская. В ней нет никаких вокальных трудностей, но есть латиноамериканский темперамент, который необходимо соблюсти. «Вы это в "Коимбре" прекрасно делали, несмотря на то что в вашем характере песни неторопливые, лирического склада».

И еще одна песня, она на индонезийском, знакомом Майе по песне «Индонезия», – «Цветет мангостан». Мангостан – это вечнозеленое дерево, оно цветет ярко, песня – красочная по мелодике, и вот здесь пригодится Майино знание индонезийского языка, пошутил Котяков, глядя на немного оробевшую от его предложений новую солистку.

Но это еще не все.

Нужна хорошая, свежая, еще неизвестная песня.

И такая тоже есть в оркестре. Пока ее никто не поет, Майя – первая, кому ее предлагает Котяков. В Ленинграде есть молодой композитор Саша Колкер, вот его материал – «Песенка почтальона» (Александр Колкер к тому времени только-только встал на композиторскую стезю; несмотря на то что окончил лесотехнический институт, свое будущее он видел не в лесах, а за роялем). Хорошая песня, плохую не предложим.

А прощаясь, он, к удивлению Майи, протянул ей не только клавир «Песенки почтальона», но и две маленькие пластинки; на них были бразильская и индонезийская песни. И тут же предупредил, что на этом репертуаре он не настаивает, Майя должна это рассматривать как предложение и вправе сама подыскать для себя материал. Завтра оркестр уезжает на неделю, а вернувшись, запишет несколько песен на студии грамзаписи, в том числе и эти три, если Майя их возьмет и за неделю приготовит.

Все песни Майе понравились, выучить их труда не составляло, что она и сделала.

И вот она в студии грамзаписи, стоя перед оркестром, отделенным от нее микрофонами, поет – так, как будто запись для нее занятие привычное, и мягкая тишина студии ей давно знакома, и голос звукорежиссера, неожиданно сваливавшийся с потолка, ее не пугает. Никто не знает, что она записывает впервые, и сама она тоже не знает, что ей придется еще много-много раз стоять перед микрофоном в разных студиях, с разными оркестрами, слушать команду и замечания звукорежиссеров из аппаратной за толстыми стеклами и эта непробиваемая тишина будет успокаивать ее, отделяя от невзгод и забот за пределами студии. (Я просмотрел каталог записей Кристалинской в картотеке Дома звукозаписи и радиовещания на Малой Никитской, бывшей улице Качалова, в нем около сотни карточек с названиями песен, и это только фондовые записи, плод большого труда певицы, оркестров, звукорежиссеров, а сколько сделано ею так называемых «разовых» записей для передач «С добрым утром!», Центрального телевидения, сколько напето пластинок. Возможно, еще целая сотня.)

Во время записи в раскрытую дверь аппаратной входили посторонние люди, это были работники студии, они молча слушали пение Майи, и каждый вошедший задавал один и тот же вопрос: «Кто это?» Не обращая на них внимания, звукорежиссер то смотрел на прибор, показывающий уровень записи, то переводил взгляд на стекло, за которым была студия; когда же запись закончилась, коротко бросил любопытствующим: «Майя Кристалинская». И заметил, как дирижер – это был Лундстрем – поцеловал Майе руку…

Оркестр ждал выезда на гастроли, «обкатка» новой солистки предстояла не на московских подмостках, где выступать всегда труднее, залы бывают капризными, публика избалована, она умеет не только страстно аплодировать, но и обдать новичка холодом, если он пришелся ей не по вкусу.

Но Майя Москвы не боялась, непривычным для нее было только то, что она стала солисткой известного оркестра, который собирает полные залы и нарасхват в гастрольных поездках.

И понеслись поезда, увозившие оркестр в дальние края. Майин дебют у Лундстрема состоялся на Украине – в Харькове, городе исключительно «шульженковском». Здесь Клавдия Ивановна взяла первую в жизни ноту на сцене, и первые цветы за свои песни получила в Харькове, и первые лучи безграничного обожания ее сверкнули тоже в здесь.

Майе было непонятно, почему так быстро этот город принял никому не известную москвичку, приехавшую на гастроли. Но, видно, разглядели харьковчане в девушке, скромно стоявшей на сцене, пока еще лишь наметившиеся черты схожести с «их Клавой».

Но Кристалинская и не думала о причине такого неожиданного успеха. Певец поет душой, актер играет сердцем, писатель пишет, задействуя и душу и сердце, и не задумываются ни первый, ни второй, ни третий, почему поступают так, а не иначе. И через несколько лет критики всерьез заговорили о Кристалинской, разглядев прямую жанровую связь этих двух певиц, Шульженко и Кристалинской, которые интимно-доверительной интонацией своих небольших голосов и поразительным чувством слова становятся на сцене тончайшими художниками-скульпторами – созидателями песни.

Города, в которых выступал оркестр с дирижером, работающим без излишней аффектации, внешне спокойным, сосредоточенно вникающим в каждый такт музыки, проносились быстро. Московским музыкантам суждено колесить по просторам своего отечества в многодневных гастрольных поездках, конкуренцию им составят, пожалуй, только строители и журналисты, и вряд ли в этом с ними могут сравниться их коллеги из других стран. Они лучше других знают, что такое одна шестая часть суши в длину и ширину. Оркестр Лундстрема, занимавший не менее половины вагона, начал колесить в тот год с Украины.

Маршрут гастролей был таким: Запорожье – Днепропетровск – Днепродзержинск; Украина на том заканчивалась; пошла Россия: Ростов, Новочеркасск – и вперед, на север – Горький. Вечер, ночь, утро – дорога. Посадка – прибытие.

В Москве на Новорязанской ее встречают пирогами и расспросами. Впереди – короткий месяц дома с репетициями днем и концертами вечером, и снова застучали колеса. Увы, никто не говорил ей на перроне: «звони», «береги себя», «жду». Один принц не стал для нее королем, другой еще не расправил алые паруса своего корабля. Саратов – Ташкент – Оренбург – Куйбышев. Ее имя рядом с именем Гюли Чохели на афишах, и аплодисменты с ней поровну, обе молоды, не слишком честолюбивы, по-сестрински заботливы друг к другу. Спустя год Гюли переехала в Тбилиси и в Москву теперь приезжала на гастроли.

И снова Москва.

Но произошло непредвиденное: сокращение штатов оркестра по воле всесильного министерства, которому подчиняется Всероссийское гастрольно-концертное объединение, а ВГКО подчиняется оркестр.

Майе о ее сокращении сказал Котяков со страдальческим выражением лица. Лундстрем, увидев ее глаза, полные слез, лишь развел руками.

– Да, – сказал Олег Леонидович, – меня вынудили поступить так, и мне это больно. Есть приказ – сократить состав и вокалистов. Должна быть только одна певица – джазовая. Значит, должна остаться Чохели. Поверьте мне, я протестовал, я вас очень ценю, Майечка…

Майя вспомнила КБ, жесткие распоряжения Яковлева и безукоснительное их выполнени подчиненными. Лундстрем не властен что-либо изменить, он всего лишь дирижер, а не влиятельный чиновник.

Расставаясь, Майя расплакалась.

Народным артистом России, лауреатом Государственной премии, кавалером ордена «За заслуги перед Отечеством» Олег Леонидович Лундстрем стал гораздо позже.

А в конце пятидесятых он был просто «каким-то» Лундстремом, приехавшим в СССР из Шанхая, да еще и полушвед.

И не висели тогда на сцене во время концерта его оркестра две литеры – «О» и «Л».

3. Смайлинг!

Лишенному театра актеру не выжить, впору переехать в другой город, если в своем некуда больше податься, или переквалифицироваться в управдомы. Певцу проще: оставшись без оркестра, он может «продаться» организации, которая держит концерты в своем кулаке, и ездить со своим аккомпаниатором по городам и весям, неплохо зарабатывая на жизнь. Но певцу, расставшемуся с оркестром, в котором он являлся законным солистом, не хватает размаха, подлинной музыки, в обрамлении которой его голос звучит лучше, ярче, рельефнее.

Теперь уже Майя не могла без оркестра. Выбор есть – Утесов, Цфасман, Минх, Ренский. И – Рознер с его джазом – дирижер, трубач, новатор. И она решила, что пойдет к Рознеру, несмотря на то что ее звал к себе Ренский. Она нацелилась на Рознера, понимая, что уже имеет право выбирать сама. В гастрольных турне оркестра Лундстрема со сцены ее так просто не отпускали ни разу, обязательно заставляли петь сверх программы, и она обычно выбирала «Тишину».

Атрибуты популярности не замедлили явиться – о ней писали местные газеты, иной раз в превосходных степенях, называя одной из лучших молодых столичных певиц; газетчики приходили к ней в гостиницу,

Ритм-секция образца 1955 года: слева за роялем – Юрий Саульский,
в центре – Луи Маркович, за барабанами – Борис Матвеев, справа – Эдди Рознер

и она давала интервью, рассказывая о себе как можно короче и скромнее, поила их чаем с московскими конфетами и не спрашивала, когда интервью можно прочесть в газете. Добирались ли слухи о ее успехе до Москвы, она не знала, сама же считала, что все идет как нельзя лучше.

Желания часто не сообразуются с возможностями, а возможности не всегда соответствуют желаниям. А когда они отвечают друг другу взаимностью, могут произойти чудеса. Так случилось на этот раз. Оказалось, что сам Рознер ищет певицу. Оркестр покинула Ирина Бржевская, ушла против его воли, несмотря на уговоры. Талантливая, перспективная певица – замену ей не так легко найти. И Рознер ищет. Что значит – «Рознер ищет»? Желающих работать у него много, но Эдди Игнатьевичу нужна певица особая, не похожая на других. Пусть без громкого имени, имя он сделает. И, увидев перед собой Майю, которая пришла к нему без звонка, узнав о поисках Рознера, он расплылся в широченной улыбке, так что его изящные черные усики полезли на щеки, – и выпалил свое знаменитое на всю музыкантскую Москву: «Холера ясна!»

Майю он видел на концерте в ЦДРИ, был наслышан о ней от Саульского, и вот теперь эта славная девушка стоит перед ним. Да, он возьмет ее!

Так, не ожидая подарка судьбы, Майя стала солисткой оркестра Эдди Рознера.

Уникальной личностью был Эдди Рознер! Он остался в памяти тех, кто знал его, как одаренный музыкант, блестящий шоумен и несомненный авантюрист. Взяв когда-то в руки трубу, Рознер до конца жизни остался верен ей, и она отплатила ему сторицей, принеся славу лучшего трубача Старого Света, по которому он много колесил в довоенное время. В тридцать девятом Рознер бежал от немцев из облюбованной им Польши, перешел границу и оказался в СССР, в Белоруссии; создал там Госджаз, несколько лет во время войны колесил с ним по стране, а после окончания войны попросился назад, в Польшу. Разрешения Рознер ждал долго. Тогда он купил фальшивый паспорт у контрабандиста на базаре во Львове и сел в поезд, который должен был вот-вот тронуться. Но его сняли подоспевшие чекисты, затем был суд, «измена Родине», 10 лет лагерей, Колыма, освобождение и реабилитация в пятьдесят четвертом, Москва – и на афишах появляется новый столичный джаз – «Эстрадный оркестр под управлением Эдди Рознера»[1].

В середине пятидесятых музыкальным руководителем его оркестра становится Юрий Саульский. Рознер – не из числа людей закрытых, и при близком знакомстве его нетрудно было понять.

Юрий Саульский:

«Как выглядел Рознер? Это был эффектный джентльмен в расцвете лет. Узенькие усики по моде тридцатых годов, любезная улыбочка… Он очень напоминал главного героя из фильма Боба Фосса "Вся эта суета". У нас в стране фильм назывался "Весь этот джаз". Даже своей походкой и манерой говорить. Невысокий, динамичный, жизнерадостный и даже, пожалуй, с какой-то бьющей в глаза сексуальностью. Он был спортивен, подтянут (в молодости занимался боксом). Элегантно одевался, на сцену всегда выходил в белом костюме. Настоящий, стопроцентный мужчина. Киногерой. Выходил, демонстрируя ослепительно белозубую улыбку: "Холера ясна, Юрочка, я готов". Он был неотразим.

И программа оркестра, и персональное "явление звезды" на сцене были выстроены как эффектное шоу. Сначала из-за кулис появлялась лишь рука с трубой – зал тут же начинал бешено аплодировать. Рознер долго держал так инструмент, пока публика не начинала просто безумствовать. И тогда – улыбка, зубы, костюм – выходил ОН. Ну просто спускается с небес на нашу грешную землю.

---

[1]　*Подробнее о биографии Э. Рознера можно узнать в книге Д. Драгилева «Эдди Рознер: шмаляем джаз, холера ясна!» (ДЕКОМ, 2011 г.).*

Рознер хорошо знал сценическое шоу звезд американского джаза. Перед первым номером программы он всегда приказывал оркестру “Смайлинг!” (“Улыбаемся!”). Хотя, раскланиваясь с публикой, мог тут же незаметно прошипеть в сторону кого-то из музыкантов: “Дерьмо!” Он был жестким человеком, и если кто-то ему не нравился, безжалостно с ним расправлялся. Мы в оркестре тогда говорили: “Эдди – продукт капитализма”. Ну, сами-то мы привыкли к российской расхлябанности, а Рознер этого не выносил. Временами его жестокость просто невозможно было выдержать. Помнится, я веду репетицию. “Юрочка, холера ясна, что вы так долго репетируете? Это же прекрасные музыканты”. Я отвечаю: “Эдди, ваше имя на афише написано во-о-от такими большими буквами, а мое – малюсенькими. Так для кого же я стараюсь?”

Однако и он нарывался на “встречные номера” от музыкантов, которые в таких случаях отыгрывались за все его придирки. Когда-то Рознер легко играл высокие ноты, но после Сибири, лагеря, цинги столь высоко забираться в “стратосферу” уже не мог. Самые высокие пассажи в третьей октаве за него незаметно исполнял другой трубач. Но вот они поссорились. Идет концерт. Рознер добирается в своей каденции до самых высоких нот… И – молчание! Трубач не играет! Рознер оборачивается, бормочет “холера ясна!” и снова начинает свою руладу на трубе. Вновь пауза. Когда занавес был опущен, музыкант подошел к Рознеру: “Ну что, понятно? Больше никогда не ругайтесь с первым трубачом!”

Без риска, приключений, скандалов Рознеру было неинтересно жить. Он был мастер мистификации, устного рассказа – неправдоподобных и удивительных историй. Он постоянно что-то выдумывал, но его новеллы (второй Ираклий Андроников!) получались такими яркими, что он сам начинал верить в рассказанное. Ну как, например, он обставлял свое пребывание в подвалах Лубянки? “Слева в камере атаман Краснов, справа – румынский маршал Антонеску, а посреди – я!” Во всем ему нужен был масштаб, и даже в НКВД он должен был сидеть в окружении знаменитостей. В сущности, за этими байками часто стояли факты, но с каким блеском они были приукрашены и даже перемонтированы его неисчерпаемым воображением!

В 1973 году, после двухлетних хлопот, Рознер получил разрешение на эмиграцию (по данным журнала “Джаз-квадрат”, Рознер обращался с просьбами на выезд около восьмидесяти (!) раз, но получал отказ. – *А. Г.*). Он думал еще играть на Западе, но, конечно, из этого ничего не вышло. Вся жизнь Рознера с 1939 года была накрепко связана с Россиией, и музыкальная карьера его закончилась с выездом из СССР. За границей он мучительно переживал свою ненужность. Умер Эдди Рознер в Германии в 1976 году».

И все же, на мой взгляд при всей жесткости, амбициозности, склонности к интриге и авантюре Рознер был человеком, в котором было много доброты. Причем далеко он ее не прятал. Ирина Сергеевна Бржевская, сохранившая о нем не самые светлые воспоминания, говорила мне, что Рознер никогда не отказывал в деньгах тем, кто в них нуждался в данный момент, – вынимал из кармана бумажник и незамедлительно отсчитывал необходимую сумму. И вот доброта его – и даже отзывчивость – коснулась самым прямым образом Майи Кристалинской. И не о деньгах взаймы идет речь, а о куда более серьезных и человечных поступках. Но об этом – позже.

Кристалинская пришла к Рознеру зимой 1960 года. Это был рубеж двух десятилетий. Пятидесятые сдавали свою вахту истории, шестидесятые ее принимали. Приняли с «оттепели», которую надеялись продолжить. В пятидесятых пришло новое поколение, готовое превратить оттепель в весну, весну – в лето. Что-то из этого получилось, но многое осталось погребенным под завалами времени. И это не вина поколения энтузиастов перемен, которых назвали «шестидесятниками».

Но когда «оттепель» звенела чистой капелью, вдруг запахло гарью – то краснозвездные танки ревели, устрашая и утюжа улицы Будапешта. Проходит год, и вину за Будапешт искупает Москва – фейерверками надежд на Всемирном фестивале. А в шестьдесят первом зарвавшийся вождь учит писателей политграмоте у себя в Кремле, стуча кулаком по трибуне, и они немедленно сдают зачет, здесь же, в зале, набрасываясь на Пастернака, всей сворой терзая его. Зачет принят.

Но тогда же в космос взлетел Гагарин, и гордость за свою многострадальную державу, не мнимая, взращенная на книжном газетном патриотизме, а подлинная, выросшая на нашей Победе, вошла в каждый дом.

Смена декораций в Кремле; она еще не настораживает, но грядет год шестьдесят восьмой, краснозвездные танки снова готовы к атаке – и на сей раз на Пражский град, на пражскую весну… Они идут рука об руку в одной шеренге – дети тридцатых, ставшие взрослыми к шестидесятым. Идут, спотыкаются и снова идут вперед. А рядом – песня. Ее никто не поет, но она звучит в каждой душе, – эта песня Визбора:

Мы были так богаты чужой и общей болью,
Наивною моралью, желаньем петь да петь.
Все это оплатили любовью мы и кровью,
Не дай нам бог, ребята, в дальнейшем обеднеть...

И они не обеднели, а, напротив, принялись творить нашу историю, разворачиваясь лицом к свету; среди них – молодые, талантливые, дерзкие «актеры театра "Современник": многозначительный Олег Ефремов, мальчишистый Олег Табаков, обильная Галина Волчек, стеснительно-смелый художник Борис Жутовский. А рядом всемирно известный скульптор Эрнст Неизвестный, непобедимый победитель художник Илья Глазунов, группа поэтов: проказливый Андрей Вознесенский, вертлявый гений Евтушенко, добродушно-ироничный губошлеп Роберт Рождественский, фаянсовая статуэтка Белла Ахмадулина, массивный творец изящных скульптур Олег Комов, уютная Майя Кристалинская, невысокий Высоцкий»[1].

Несмотря на ироничный тон и неожиданные сравнения в этой цитате поэтессы Ларисы Васильевой, здесь очень точно собраны в один отряд бойцы, определявшие «погоду на завтра» (имена их далеко не исчерпываются этим списком) в переменчивых шестидесятых.

В нем нашлось место и «уютной» Майе Кристалинской, жизнь которой, однако, уютной, увы, не назовешь.

Майя пришла в оркестр Рознера, когда одной из солисток там была Нина Дорда, слегка кокетливая и обаятельная певица уже бальзаковского возраста, с ясным, чистым высоким голосом, незаменимым для песен эпохи конца пятидесятых с их характерным светлым фоном. Пел у Рознера и вокальный квартет, будущая «Улыбка», в неизменном составе: Ольховская, Романовская, Мясникова, Куликова. Дорда заканчивала всю программу модным благодаря ей и Оскару Фельцману шлягером – песенкой «Мой Вася», о любимом парне по имени Вася, который ничуть не хуже, чем красавчик француз Жерар Филип, и если уж кому лететь на Луну, то только Васе.

Рознер с оркестром приезжал в Тбилиси, Вася там превращался в «Васико», а вокальный квартет пел на грузинском языке (естественно, не зная его) только что появившуюся песню «Тбилисо», от которой тает сердце каждого грузина. Спустя несколько месяцев появилась

---

[1] *Лариса Васильева, «Дети Кремля».*

в рознеровском шоу еще одна певица, и тоже из «Первого шага», – Ирина Подошьян. К тому времени она уже не только прекрасно владела голосом, но и свободно изъяснялась на французском языке, окончив Московский иняз. Поскольку Подошьян владела еще и джазовой манерой пения, Рознер предложил ей «Колыбельную» Гершвина.

А что пела Майя?

У каждого исполнителя всегда есть песня, которую ждет не только его всезнающий поклонник, но и почти весь зал, собравшийся на концерт кумира. Как правило, это популярнейшая в данный момент песня, быстро перешедшая в разряд народных, главным образом потому, что ее везде знают, любят и – поют. Но для присвоения почетного звания «народная» требуется, согласно испокон века заведенным правилам, отсутствие авторов. А вот в песнях наших композиторов и поэтов авторы, за редким исключением, всегда наличествуют. Однако вот вопрос: они, авторы-то, есть, но знает ли народ, кто написал его любимую песню? Зачастую люди, чуткие к хорошей песне, совершенно безразличны к их авторам. Зачем, скажем, металлургу или доярке знать, что «Подмосковные вечера» написали Соловьев-Седой и Михаил Матусовский, а «Катюшу» – Блантер и Исаковский? Конечно, с помощью радио их имена легко запомнить, но слушают не имена, а песню. Хотя имена Блантера, Исаковского, Соловьева-Седого, Матусовского и многих еще замечательных композиторов и поэтов-песенников народ прекрасно знает и горячо приветствует при случае. А потому с полным основанием можно считать, что большинство широко известных песен – народные. То есть народом принятые, запомнившиеся и пропетые.

Однако… Если песня, едва появившись, сразу имеет оглушительный успех, когда она начинает звучать на концертной эстраде, не исчезая, зал откликается быстро, только услышав фамилии авторов. Поэтому, когда Майя Кристалинская выходила на сцену, слова ведущего: «Музыка Андрея Эшпая, стихи Григория Поженяна…», как правило, тонули в аплодисментах. Зал знал – Майя Кристалинская сейчас будет петь песню «Мы с тобой два берега» из фильма «Жажда». Так было и на представлениях Рознера.

Она работала у Лундстрема, когда ей показали песню, которую должна петь в фильме «Жажда» героиня картины Маша. Познакомившись с песней, всегда сдержанная Майя охнула и со свойственной ей непосредственностью сразу же захотела ее записать. Но в кино так не

В. И. Немирович-Данченко

В. И. Немирович-Данченко с труппой Музыкального театра.
В нижнем ряду вторая слева – Лилия Кристалинская

П. С. Златогоров

Л. И. Кристалинская-Златогорова.
1950-е

Московский молодежный хор. Майя Кристалинская – во втором ряду вторая справа. 1954

На каникулах в Подмосковье

Московский авиационный институт имени С. Орджоникидзе

На репетиции

*На концерте перед Всемирным
фестивалем молодежи
и студентов в Москве. 1957*

Конец 1960-х

Эдди Рознер. 1960-е

Н. Григорьян, зам. главного редактора музыкальной редакции ЦТ. 1960-е

И. Кассирский на домашнем концерте. 1960-е

Композитор Э. Колмановский и музыкальный редактор передачи «С добрым утром!» Г. Голуб на прослушивании новой песни в студии Дома звукозаписи. 1964

С пуделем Муром. 1970-е

Начало 1970-х

*Майя и Эдик: впереди счастливые дни –
круиз по Балтике. 1980-е*

Сестра Майи –
Анна Кристалинская
с дочерью Марьяной

Анисим Гиммерверт, Валентина Котелкина с Борисом, сыном Эдуарда Барклая

делается, надо знать, о чем фильм, знать характер героини, за которую она поет.

Песню записали с трех дублей. Записав один, Майя его прослушала, нашла недостатки и предложила новый дубль. Согласилась «утвердить» только третий. Певица вдруг обнаружила упрямство, которое помогло преодолеть неопытность, дав прекрасный результат.

Фильм она увидела в первый же день его выхода на экран – в кинотеатре. Ей звонили, поздравляли, хотя в титрах ее фамилия не значилась. Узнавали по голосу. Звонков было много – в новой отдельной квартире на Красносельской, которую выхлопотала Майя, телефон трезвонил больше обычного несколько дней.

(Позднее эту песню Майя записывала для радио в Доме звукозаписи на улице Качалова. Дверь в аппаратную была открыта, и вскоре она превратилась в небольшой концертный зал – сюда хлынули те, кто услышал ее голос. Когда она выходила из студии в аппаратную, чтобы послушать очередной дубль, «публика» с трудом расступалась. А затем песню можно было услышать в коридорах дома, ее тихо напевали.

И всегда, когда Майя будет записываться здесь, в аппаратную непременно придут слушатели из числа тех, кто здесь работал).

С тех пор, с «Жажды», Майя стала полноправной участницей многих фильмов, но лишь в одном амплуа – певицы за кадром. Ей не предлагали ролей, для нее не писали сценарии, она всегда оставалась фоном, только «голосом», что в сценарии обозначалось скупыми словами: «звучит песня», которую замышляли сценарист и режиссер. Но песня все же – персонаж фильма, со своей задачей и своим местом действия. И роль ее в картине подчас велика.

Через несколько лет Майя Кристалинская взяла в руки перо, оно оказалось легким, его не утяжелял опыт, приобретенный за эти годы, да и поразмышлять было о чем. Статья Майи была опубликована в «Советском кино», приложении к газете «Советская культура»:

«Мне ни разу не довелось сниматься в кино, хотя я участвовала более чем в двадцати фильмах. "Цепная рсакция", "Карьера Димы Горина", "Большая руда", "Месяц май", "Суд сумасшедших", "Человек идет за солнцем" – вот некоторые из картин, в которых я пела.

Как и всякому актеру, мне, конечно, всегда бывает приятно, когда песня, исполняемая тобой, приносит людям радость, остается в их памяти, сходит с экрана в жизнь.

Наш народ любит песни. Они звучат в очень многих фильмах, но далеко не все получают путевку в жизнь. И порой случается так, что даже хорошая песня остается почти незамеченной.

Помните фильм "Тишина"? Назовите песни, которые вы узнали из картины. Я уверена, что большинство назовет песню композитора В. Баснера на стихи М. Матусовского "У незнакомого поселка". Это на самом деле замечательная песня. Но там была и другая – "Фронтовые поезда", которую пела я. И по-моему, эта песня тоже совсем неплохая. И тем не менее ее почти никто не помнит.

Но часто дело даже не в том, хороша или плоха песня сама по себе, но в том, как она преподносится с экрана. В современных фильмах песня нередко имеет вспомогательный характер, используется как фон для настроения. И это очень затрудняет ее восприятие. Хотя все же порой случается и так, что даже такая "вспомогательная" песня становится очень популярной. Так случилось с песней М. Таривердиева на слова Н. Добронравова из картины "Большая руда", которая звучала на вступительных титрах. А песня "Снег идет" композитора А. Эшпая на стихи Е. Евтушенко, которая была танцевальным фоном в одной из сцен фильма и перебивалась разговором героев, после выхода картины все же стала одной из самых любимых.

Второстепенный, вспомогательный характер песни, возможно, обусловлен требованиями самой драматургии, и это вовсе не означает, что неизбежна бедность, узость песенной тематики. Даже иллюстрируя личные, интимные мысли и чувства героя, песня может и должна иметь мотивы общественные, социальные, гражданственные. (Здесь я с моей героиней не согласен: песня может иметь эти мотивы, если они завязаны в один узел с сюжетом фильма. – *А. Г.*)

И совсем не обязательно быть песне самостоятельным, вставным номером. Я, например, получила большое удовольствие от работы в фильме Г. Чухрая "Жили-были старик со старухой", где не было собственно песни, а был вокализ, проходивший как лейтмотив героини через всю картину. Жаль только, что композитор А. Пахмутова не создала песни на эту музыку.

Кто должен петь в фильме? Не только профессиональные певцы. Очень часто просто необходимо, чтобы песня исполнялась самим актером. Стоит вспомнить хотя бы фильм "Высота", где "Марш высотников" пел Н. Рыбников, или "Я шагаю по Москве", где поет Н. Михалков.

Их исполнение – очень хорошо – музыкально, искренне» («Советское кино», 1966, № 35, 27 августа).

Но оставим пока сетования закадровой «кинозвезды» о песенном камуфляже, вернемся в тот год, когда голос Кристалинской был более знаком по концертам «Первого шага», оркестров Лундстрема и Рознера и по «сборникам», куда ее приглашали: с тех пор как появилась песня из «Жажды», Майя везде пела ее... За песню «Мы с тобой два берега» брались многие, но она оставалась песней Кристалинской.

> *Ночь была с ливнями*
> *И трава в росе.*
> *Про меня «счастливая»*
> *Говорили все.*
> *И сама я верила*
> *Сердцу вопреки:*
> *Мы с тобой два берега*
> *У одной реки.*

Постепенно Майя шла к широкой известности, но однажды утром и вправду проснулась знаменитой. Я не в плену у литературного шаблона, так было на самом деле. Ее разбудил телефонный звонок Вали Котелкиной, которая радостно, чуть не крича в трубку, сообщила: только что на Кузнецком, в музыкальном магазине, в страшенной очереди она купила две пластинки с записью песни из «Жажды» в Майином исполнении, одну себе, другую – Майе.

О том, что пластинка должна выйти, Майя знала. Но почему – очередь? Давка? И только позже она узнала причину, которая привела ее в изумление: песня «Мы с тобой два берега» была выпущена невиданным тиражом – семь миллионов экземпляров! Но еще больше изумило другое, вытекающее отсюда обстоятельство: все эти миллионы экземпляров разошлись по стране и были раскуплены мгновенно, нарасхват, будто у людей была только одна забота – купить пластинку с записью ее голоса.

4. «Человек идет за солнцем»

Внизу, на первом этаже Дома звукозаписи, – три студии с большими тяжелыми дверями, с непроницаемой тишиной, с музыкой, которая живет здесь в каждом кубическом сантиметре, в которых прячутся звуки. А на четвертом этаже – комнаты в длинном коридоре, в них эти звуки еще на бумаге на линейках с нотными закорючками. Здесь, в коридоре, – радио, его музыкальная редакция, здесь решается судьба звуков на бумаге: одни передадут вниз, и они обретут дыхание, другие в композиторских портфелях, отправятся восвояси вместе с теми, кто их придумал. Певцу не миновать исхоженной дорожки, ведущей с первого этажа на четвертый, которая, если ее скатать, уместится в обычном лифте. И однажды эту дорожку одолела и Майя: она вошла в одну из комнат, где «хозяйкой» была эстрада. И цель у Майи была одна – новые песни.

Она появилась в этой комнате, не ведая, в какое неподходящее для себя время переступила ее порог. Она знала особенности своего голоса, знала, что особой силой он не отличается, и не подозревала, что оказалась в центре споров по поводу одной новации, которая изменила эстрадное пение; новация эта долго гуляла нежеланной гостьей среди снобистской части музыкальных теоретиков, критиков и даже некоторых певцов, оказывающих своими мощными голосами давление как на прессу, так и на начальников от музыки.

Короче говоря, речь идет о микрофоне. Кто-то, оставшийся неизвестным, пустил в оборот словцо «шептуны». Возможно, это был один из руководящих композиторских снобов, считающий, что песня – это оперная ария, только в куплетной форме.

Да, он был прав, таких песен звучало в разные времена очень много, их могли петь только сильные голоса, которых было предостаточно. Но времена меняются, стало быть, меняется и характер песни, и ее колорит. Появилась «интимно-негромкая» песня еще в войну, не только появилась, но и заявила своим тихим, но твердым голосом о том, что ступила на эстраду, деликатно попросив подвинуться «голосовую» песню.

За ней стоял человек, который, кроме ушей, имел еще сердце. Этой песне нужен был микрофон. И он – появился.

Одним из «виновников перелома», произошедшего в искусстве эстрадной песни, не без основания считается Марк Бернес. Киноактер, не имевший большого голоса, пришел на эстраду и остался в ней, не изменив кино. Негромкая его песня связана прежде всего с кино («Тучи над городом встали», «В далекий край», «Темная ночь», а уж потом пошла эстрада в ее концертно-сценическом виде – и появились «Я люблю тебя, жизнь», «Если бы парни…»; «Москвичи», «Враги сожгли родную хату» и, наконец, «Журавли»). Не оставляя кино, Бернес начал работу в театре. В Театре Одного Певца.

Такой театр был у Клавдии Шульженко, у артиста МХАТа Трошина. Его предстояло возвести и Кристалинской. К этой работе она была уже готова.

Марк Бернес

Послушаем размышления «главного новатора» Бернеса. И пусть вас не смущает интонация его речи – он говорит с участниками художественной самодеятельности. У артистов театра одного певца есть с ними общее – они консерваторий и даже музыкальных школ, как правило, не оканчивали.

«Дело в том, что многие зрители и, вероятно, многие певцы-любители полагают, что микрофон – это средство усиления слабого звука. Подобное нелепое мнение имеет под собой почву, ибо в руках неумелых певцов микрофон не выполняет никакой другой функции. Между тем пение в микрофон – это особый эстрадный жанр. Да, жанр! Требующий большого мастерства, умения, чувства меры и огромного труда, чтобы его освоить. Не всякий может подойти к микрофону и спеть. Один будет слишком форсировать звук, и усиление сделает его похожим на рычание. Другой так шумно начнет "брать дыхание", что его исполнение станет похожим на вздохи раненого зверя. Впрочем, важны не ошибки, а то, как их избежать. <…>

И здесь мы подходим к главной "творческой" способности микрофона – его "умению" делать голос певца и его песню очень близкими зрителю, как бы обращенными не только ко всем сидящим в зале, но к каждому из них в отдельности. Ведь вот выходит певец "немикрофонный" и, чтобы наполнить зал, поет во весь голос. И каждый сидящий в зале слушает его мощный и звонкий тенор (бас, баритон, сопрано), слушает вместе со всеми.

А теперь представим, как воспринимает слушатель "микрофонного" исполнителя: голос того разносится по всему залу, достигая самых последних рядов партера и бельэтажа, а ему, слушателю, кажется, что певец тихо и доверительно поет только для него, обращаясь только к нему одному...

Этот "секрет" микрофона каждый постигает сам и по-своему использует. Микрофон не нивелирует голоса – так же как вы отличаете тембр и своеобразие манеры Юрия Гуляева, обладателя прекрасного голоса, вы ни с кем не спутаете и Леонида Утесова, хотя его голос звучит через микрофон.

Короче, мысль моя такова: микрофон – не замена голоса, а средство выразительности».

Эти строки Марк Бернес писал во второй половине шестидесятых, когда микрофон победно шествовал по эстраде, и противоборствующая ему акция «Шептунов» – на мороз», как подсказывала известная русская пословица, провалилась. «Шептуны» оказались морозоустойчивыми.

Как-то, снимаясь на Шаболовке – естественно, под фонограмму, – Бернес попросил дать ему в руки микрофон. Так еще никто не пел. Иллюзия «живого» исполнения оказалась полной. Но новшество Бернеса нередко используют на сцене, обманывая зрителя, когда вместо живого голоса в концерте звучит фонограмма, а певец только открывает рот, поднося к нему микрофон, который становится невольным подельником недобросовестного артиста.

Итак, Майя появилась на радио в эпоху борьбы с «микрофоном», ее отнесли к «шептунам», и ей не так-то просто было бы «прижиться» на радио, если бы не два обстоятельства. Во-первых, руководство редакции поставило нелегкую задачу перед «эстрадниками» – искать новые имена. Стало быть, продвигать молодежь. Нельзя же все время жить только за счет «старичков».

А во-вторых, первым человеком, который встретился здесь Майе, был Чермен Касаев, заместитель заведующего отделом эстрады; о Кристалинской Касаев много слышал, искал встречи с ней – и вот она сидит перед ним, улыбается, глядя прямо в глаза. Их беседа была недолгой и закончилась, когда Касаев коротко сказал: «Ну что ж, Майя Владимировна, будем записываться». И не ошибся в ней этот умница Касаев. Он был из тех, кто слов на ветер не бросал, всегда готовый со всей своей кавказской яростью выполнить любое затеянное им самим дело. К тому же, опять-таки по-кавказски, был широк, щедр и обладал тонким музыкальным вкусом. К нему тянулись многие, кто однажды побывал в этой комнате на четвертом этаже. С одними он мог попрощаться быстро, если не обнаруживал божьего дара, с другими же не расставался долгие годы. Так сложилось и с Майей – Чермен Касаев стал одним из ее ближайших друзей, а это было непросто: к себе в душу Майя редко кого пускала.

Вот и свела их судьба, послав Майю именно в этот день и час к Чермену, который сидел за своим рабочим столом, заваленным письмами с подколотыми конвертами, разными бумажками, эфирными папками. Чаще всего он бывал в студиях на первом этаже.

Через несколько дней Майя записала три песни молодого композитора, недавно окончившего Гнесинку, ученика Арама Хачатуряна,

Микаэл Таривердиев

что говорило не только о его широком музыкальном образовании, но и о яркой одаренности – иных выдающийся мэтр к себе не брал. Этот композитор начал поиски своей музыки и, найдя ее, не изменял ей всю оставшуюся не очень долгую жизнь…

Это был Микаэл Таривердиев.

Много лет спустя его вдова, Вера Гориславовна, знавшая музыку Микаэла Леоновича так, как знал ее он сам, и даже больше, разбирала шкафы в их квартире, полные пленок и нот. И находила то, что за многие годы осело в них. Шкафы таят в себе открытия. Вот так она нашла несколько записей Майи Кристалинской. Как послания начала шестидесятых.

Я слушал «Песню о Москве» из документального фильма «Москва приветствует вас» и думал: песня – замечательная, автор ее стихов – Николай Добронравов.

> *Знаешь, Москва,*
> *Ты сплетена из сотен контрастов,*
> *И звучит в тысячах ритмов*
> *Песня твоя…*

Голос Кристалинской в обрамлении многокрасочного ожерелья звуков Таривердиева удивительно ласков и удивительно тепл. Гармонический склад песни, ее мелодичность и оркестровка – все говорит о том, что композитор уже совсем близко подошел к «Сонетам Шекспира», песням и музыке из фильмов «Король-олень», «Ирония судьбы...», «Семнадцать мгновений весны». И сколько же музыки – талантливой, блистательной – ему еще предстояло написать!

Эта песня оказалась прочно забытой. Вера Гориславовна рассказывала, что, когда началась подготовка к московскому юбилею, к 850-летию, Микаэла Леоновича спросили: нет ли у него песни о Москве? Он ответил отрицательно.

И как жаль, что песня не прозвучала в юбилейные дни, да вот только кто бы ее мог спеть так искренне и просто, как это сделала Майя? Сложилось впечатление, что Таривердиев писал ее – для Кристалинской.

«Я не знала, об этой работе, но вот о другой знала точно, – продолжала рассказ Вера Гориславовна. – Это фильм "Человек идет за солнцем". Микаэл Леонович работал над ним с Михаилом Каликом в шестидесятом году. В нем есть песня, которую поет Кристалинская. Этот фильм – революционный в советском кинематографе, это смена стилистики. Он новаторский как по киноязыку, так и по языку музыкальному, это тот фильм, с которым для кинематографа родился Микаэл Таривердиев, потому что те картины, над которыми он работал до того, были с элементами эксперимента, где есть его интонация. Но вот окончательно он проявился здесь, потому что здесь слились многие вещи и потому что это был один из самых его любимых кинорежиссеров, легендарный Михаил Калик, с которым они всегда работали интересно, легко. Они совместно искали способы выражения себя, мира, нового ощущения мира, и вот в этом фильме все получилось.

В нем много музыки и песня – «У тебя такие глаза». Это некая смесь джаза, элементов старинной музыки, это свобода, импровизационность, кстати говоря, Майя Кристалинская поет в джазовой манере, смешанной с камерным, очень тонким пением.

И вот этой песней Микаэл Леонович начал довольно долго длившийся новый период в его жизни. Ему хотелось найти такую интонацию, которая, с одной стороны, была бы изысканной, тонкой, а с другой – была бы понятной большому кругу людей. В фильме, в песне «У тебя такие глаза», ему это удалось. И Майя Кристалинская была первой певицей, с которой

он добился уже в исполнительской манере этого стиля. Он требует прекрасного
владения вокалом, душевной тонкости,
владения массой нюансов, понимания
этого необычного, авангардного текста
Кирсанова. Это не песня, это монолог,
тонкая вокальная лирика, решенная при
помощи голоса и микрофона, и это было
новым музыкальным словом, а Кристалинская послужила для него удивительно
тонким инструментом...

Вера Гориславовна включила маг-
нитофон. Запела певица: в громкой тишине ночного города идет мальчик, ему
навстречу несутся огненные круги фар,
а голос звучит где-то рядом с ним, словно
добрая фея, невидимая мальчику, разго-
варивает с ним так нежно и ласково, как, может быть, не говорила никогда его мать... Мальчик идет, и огни отражаются в его глазах, озаряя их.

У тебя такие глаза
Будто по два зрачка,
Как у самых новых машин.
По ночам из шоссе в шоссе
Пролетают машины, шумя
Двумя парами фар.
У тебя двойные глаза,

Их хватило б на два лица,
И сияет весь океан
От помноженных на два глаз.
Понимаешь, твои глаза –
Двух земных полушарий карты,
И ты, когда закрываешь их,
Погружается на ночь экватор...

Кто сказал, что у Майи слабый голос? Как она спела, с какой силой,
эти слова – «у тебя двойные глаза»!..

Но фильм «Человек идет за солнцем» еще не начали снимать, это произойдет только через несколько месяцев, а пока Чермен Касаев знакомит Майю с высоким, стройным, по-спортивному подтянутым двадцатисемилетним композитором Микой Таривердиевым. Они сделали записи, песни у Микаэла были такими же изящными, как и он сам, они легко запоминались. Одна из них – «Бывает так» – поразила Майю своим внутренним мягким светом, идущим от каждого звука музыки.

Кстати, после фильма «Человек идет за солнцем» был еще «проходной» для московских мастеров кинофильм «До завтра», который снимался на студии «Туркменфильм». «С каким-то детективным сюжетом, какая-то туркменская столовая, шоферы», – вспоминает Вера Гориславовна. Музыка Таривердиева существовала отдельно, сама по себе, и наверняка была украшением фильма, вполне возможно, далекого от шедевра. Но это была уже «его» музыка. Есть в картине песня, запись которой найдена Верой Гориславовной в очередном из шкафов, – как еще один ценнейший, скрытый веками черепок из археологических раскопок. Поет Майя Кристалинская. Песня об одиночестве, об отрешенности женщины от мира, от большого города. В голосе Кристалинской – тоскующие, тревожные интонации. «По вечерам танцуют за каждым окном, по вечерам за каждым окном зигзаги людей неистово пляшут, пытаясь спасти свое хрупкое счастье за хрупким, как лед, стеклом… По вечерам темнеют в углах экраны, и поют провода о судьбах коротких, как телеграммы. По вечерам мы остаемся втроем – ты, я и город, но даже в объятьях твоих я тоже одна, пойми, я всегда одна…»

А потом музыкальная тема песни становится вокализом, его с теми же интонациями великолепно поет Кристалинская.

Кто и когда, кроме бездомных парочек, целующихся на последнем ряду в пустом кинотеатре, мог увидеть этот фильм? Видели ли его в Туркмении?

Пути Майи Кристалинской и одного из ярчайших композиторов нашего столетия разошлись после «туркменского прощания». Микаэл Леонович вообще-то не часто баловал эстраду песнями, он писал музыку ко многим фильмам, у него появились новые исполнители: композитор всегда точно знал, кто должен петь то, что он пишет. Тихо в квартире Таривердиевых. Музыка звучит теперь только с магнитофона. На рояле лежат очки Микаэла Леоновича, часы с металлическим браслетом. С фотографий на стенах смотрит живой Таривердиев. «У тебя такие глаза…»

Глава девятая

«ДОБРОЕ УТРО» И ГОРЬКИЙ ДЕНЬ

1. Роман с радио

«Оттепель», даже в своем позднем варианте, постепенно расширяла отдушину в еще не очень-то проветренной ветрами перемен постсталинской Москве. Сюда уже устремлялись потоки свежего воздуха, и дышала им не только столица, но и значительная часть бескрайней страны. Театральные подъезды осаждали толпы жаждущих с одим вопросом: «Нет ли лишнего билета?» В кинотеатры стояли очереди по ночам на новый фильм. Еще гремело эхо декады французских фильмов, открывались выставки молодых художников. Театры, кино, выставки – все, что душе угодно, вплоть до Исторического музея, и это в любой день недели. А воскресенье с некоторых пор начиналось особо. Для всех тех, кто культурную жизнь заменял развлекательной, предпочитая не выходить из собственной квартиры, в десять часов утра оживали приглушенные маленькие динамики, присоединенные к радиоточке, все разом, в каждом доме – в Москве, Свердловске, Кинешме, Пензе. Ровно в десять по радио звучала песенка – как поздравление тружеников и тружениц, школьников и студентов с выходным:

С добрым утром! С добрым утром! И хорошим днем!

Песенка сразу же делала утро светлым, несмотря на мрачное осеннее небо, хлесткий дождь или снежную морось за окном.

Передачу «С добрым утром!» придумала в начале шестидесятых группа молодых людей, преданных радио, не умевших хорошо петь и читать, но зато знавших, как это нужно делать. Правда, были в этой команде и смехотворцы. «Закоперщик» же – человек с энергией, равной атомной станции: невысокий, полный и мудрый, многолетний радиорежиссер Александр Столбов, который затем записывал эти передачи не один десяток лет.

Но если быть точным, Александр Столбов задумал вначале не передачу «С добрым утром!» и не в шестидесятых, а ее предшественницу, «Справочное бюро хорошего настроения» в конце пятидесятых. И лишь позже передача изменила название.

Актриса Вера Орлова веселым, никогда не меняющимся голосом давала рецепты хорошего настроения в ответ на многочисленные звонки, просила эстрадных исполнителей петь песенки – в общем, творила настроение всем-всем, и у кого кошки скребли на душе тоже.

В «Добром утре» хорошие песни не залеживались, передачу слушал весь советский народ, а что еще нужно было жаждущему признания композиторскому сердцу?

Музыкальных редакторов было двое: элегантная ироничная рижанка Гуна Голуб и очень серьезный человек, создавший позднее оркестр электромузыкальных инструментов, Вячеслав Мещерин. В декабре 1960 года в студии передачи «С добрым утром!» впервые появилась Майя Кристалинская, которую привел на запись собственной песни Юрий Саульский. Их совместная работа в «Первом шаге», медаль на фестивале, а потом и «разборка», учиненная «Советской культурой», способствовали тому, что между ними сложились какие-то ностальгические отношения – при встрече было что вспомнить. Но Саульский, при всей своей занятости, следил все же за тем, как продвигается вперед по многоступенчатой лестнице успеха Майя, которая так славно пела на фестивале «Колыбельную» в его «Дуниаде». Конечно же, Саульскому хотелось помочь; а тут у него появилась новая песня, и он без колебаний позвонил Майе домой и предложил дебютировать в передаче «С добрым утром!», на что Майя сразу дала согласие. И дебют состоялся. Она в тот же день записала не только «Новогоднюю», но и сверх программы песню Островского «Я иду», которую до этого вечера Майя никогда не слышала.

Вскоре в «Добром утре», куда ее стали часто приглашать, она стала своим человеком, пела много, и если бы в отделе сатиры и юмора была штатная единица вокалистки, была бы одной из первых претенденток. Она продолжала петь у Рознера и постоянно ждала звонка от Гуны, которая предлагала очередную новую песню. Иногда звонила и сама, но редко, проявляя терпение и сдержанность. Те, кто не знал ее накоротке, считали, что Майя – одна сплошная улыбка и врожденная доброжелательность. Последнее – действительно так, но знавшие Майю ближе понимали, что за внешним спокойствием и сдержанностью, как это часто бывает, прячутся сильные чувства, что человек она глубоко ранимый и незащищенный, а ее сдержанность и закрытость объясняются боязнью уколов, поджидавших ее на каждом неверном шагу.

Иногда Майя приезжала на Пятницкую, 25, в многоэтажное, покрытое, как чешуей, светлой, с коричневатым оттенком, плиткой здание напротив метро «Новокузнецкая», где находился отдел сатиры и юмора, а стало быть, передача «С добрым утром!», чтобы просто посидеть, отдохнуть от нахлынувшей на нее эстрадной круговерти, послушать анекдоты, шутки, дружелюбную пикировку, стук пишущей машинки, телефонные трезвоны, никогда не умолкавшие в комнате с широким окном.

Но чаще всего Майя бывала в студии № 3 в Доме звукозаписи на улице Качалова, где шли записи песен. Сюда приходили композиторы, заглядывали и поэты, здесь Майя записала впервые песни «Аист», «Летят стрижи», «Возможно» Островского; «Падает белый снег», «Иду я», «Не в этот вечер» Эшпая; «В нашем городе дождь», «Добрый день» Колмановского; «Девчонки танцуют на палубе», «Усть-Илим» Пахмутовой; песни Фрадкина, Шаинского, Птичкина, Блантера... А всего за шестидесятые годы – более ста песен.

За пультом в аппаратной за микшерами, сидел суховатый человек в больших очках, он был похож скорее на шахматного гроссмейстера. Да он и был гроссмейстером среди звукорежиссеров, лучшим среди лучших, каких за пультом в Доме звукозаписи сиживало немало. Звался он Виктором Борисовичем Бабушкиным – имя, вызывавшее уважение среди музыкантов, певцов, работников радио. Он чувствовал себя здесь хозяином, и не только благодаря священнодействию за пультом, но и потому, что мог резким тоном приказать не мешать записи, прикрикнуть на того, кто тихо разговаривал в аппаратной или даже слегка кашлянул. Суровым и необщительным он оставался и после работы. Вот таким человеком был этот чародей звукозаписи.

Но Майя любила с ним работать и не боялась его, могла и возразить, не согласившись с замечанием. Работали они вместе несколько лет, пока Виктор Борисович не ушел на «Мосфильм». Его характер на самой элитной студии страны не изменился, он и здесь вскоре прослыл лучшим звукорежиссером, хотя на «Мосфильме» были свои асы. Бабушкин в душе, как оказалось, был человеком трепетным, а такие люди, несмотря на маску недоступности, бывают настоящими творцами.

И вот, подчиняя себе безропотные микшеры на пульте, Бабушкин зажегся идеей записать песню одним голосом, но сделать так, чтобы звучала она, будто ее поют несколько голосов. Это было невероятно сложно в технических условиях, которые существовали в начале шестидесятых.

Он записал Майю и принялся колдовать с техникой, переводил голос на один канал, затем – на второй, сводил, переводил на третий и так далее, выжимая из аппаратуры все, что можно было выжать. Майя была рядом, вместе они пробовали разные варианты, и Бабушкин прислушивался к тому, что говорила Майя, и, если результат ей не нравился, начинал все сначала. Когда свели три голоса, начали сводить с эхом – и получилось нечто фантастическое в полном смысле этого слова. Такого еще стены аппаратной не слышали. Бились с этим «радиофокусом» ровно два дня.

Слушать пленку собралась чуть ли не вся редакция; запись прослушали в тишине, потом – буря восторгов, поздравлений, и в первую очередь Бабушкину; он же невозмутимо смотрел на собравшихся сквозь стекла очков.

Это была маленькая революция на радио, которую так и не заметили слушатели передачи «С добрым утром!». Может быть, виновата в том сама песня, которая не произвела впечатления на слушателей.

Кристалинскую же Бабушкин готов был носить на руках: он, музыкант с консерваторским образованием, боготворил этот самородок, как он называл Майю, считая одной из самых талантливых певиц, с которыми доводилось ему работать.

Но эта запись имела продолжение. Следующий раз подобное предложила сама Кристалинская. Это уже касалось не одноголосой песни, а целого трио, да еще из оперетты. Ее как раз готовили к постановке, автором был самый первый по рангу композитор страны Тихон Николаевич Хренников, композиторский генсек.

Как-то Майя была в гостях у Тихона Николаевича, которого знала с давних послевоенных лет, – он часто бывал в доме у тети Лили и дяди Паши. За чайным столом Тихон Николаевич рассказывал о своей новой работе в Театре оперетты – спектакле «100 чертей и одна девушка». И по просьбе Майи показал ей за роялем трио, которое в спектакле поют три певицы. Номер назывался «Осенняя песня».

На следующий день Хренникову позвонила Гуна и попросила разрешения показать это трио в «Добром утре», но в исполнении одной Майи, которая сама же и навела Гуну на эту мысль.

– Я очень люблю Майю, – сказал Хренников, – но ведь эта партия для русских народных голосов, а у нее голос эстрадный...

– Мы попробуем, – только и сказала Гуна. Хренников согласился.

Бабушкина уговаривать было не нужно, И они втроем принялись за этот нелегкий труд. Но теперь уж дорожка была проторена. Результат оказался блестящим.

– Меня это невероятно поразило, – покашливая, рассказывал мне Тихон Николаевич. – Она сначала записала один голос, потом – второй, потом – третий. Когда она записывала второй и третий голоса, у нее были наушники, она слушала первый голос, напевала – второй, потом слушала оба голоса – напевала третий. И все это было так слитно. Это говорило о том, что у нее был исключительный слух, потому что без такого слуха невозможно сделать эту запись. Они мне потом показали ее, было такое впечатление, что поют три певицы с очень непохожими тембрами голосов.

«Фокус», как мы видим, удался на славу, но русского народного пения у Кристалинской не получилось, оно оставалось эстрадным – это понимал и Хренников, давая разрешение выпустить «трио» в эфир. Имела же Майя право по-своему спеть эту песню, уж не говоря о том, что оперетта еще не шла, и об особенности голосов, исполняющих «Осеннюю песню», никто не знал. А знал бы, все равно одобрил.

> *Раскидал осенний лист рубли целковые,*
> *Только золото граблями собирай.*
> *Только девушки теперь все бестолковые,*
> *Вместо золота любовь им подавай*

– звучало в одиннадцатом часу утра в передаче «С добрым утром!» студеным февральским воскресеньем, возвращая уставшего от зимы радиослушателя в золотую осень.

Каждому номеру или каждой песне в передаче «С добрым утром!» обязательно предшествовала «подводка», как называли на радио монолог ведущего передачи на тему следующего номера или песни. И тогда звучало имя исполнителя. Иногда это делал сам автор песни.

«Ведущая. Сегодня у нас в гостях композитор Андрей Эшпай. Предоставляем ему слово.

Эшпай. Я часто бываю у себя на родине, на Волге, в Марийской республике. И вот сегодня мне приятно познакомить вас с новой песней, в которой я использовал народные марийские интонации. Я попросил Майю Кристалинскую исполнить эту песню». (Далее Майя Кристалинская исполняет песню Эшпая.)

Когда трио из оперетты «100 чертей и одна девушка» появилось в передаче, то ему предшествовали следующие слова ведущей Веры Орловой. Как всегда, радостным голосом она объявила:

«Тихон Хренников, один из популярных в народе композиторов, подарил передаче "С добрым утром!" "Песню девушек". Исполняет песню Майя Кристалинская, которая благодаря мастерству звукорежиссера Бабушкина поет за троих в буквальном смысле слова. Послушайте, друзья».

На этот раз в адрес передачи полетели восторженные письма...

Редакция «Доброго утра» жила своей обычной сверхтрудовой жизнью, потрясения, конечно, бывали, но не так уж часто, и вот одно из них навсегда войдет в анналы передачи.

Композитор Аркадий Островский на слова Льва Ошанина написал песню, которая до сих пор не исчезает из радио и телеэфира.

Это песня «Пусть всегда будет солнце». Песню запели повсюду после Всемирного молодежно-студенческого фестиваля в Хельсинки, где Тамара Миансарова, исполнившая ее, стала бесспорным золотым лауреатом, а еще через год завоевала песне лавры победительницы престижного эстрадного фестиваля в Сопоте. Если говорить по справедливости, хороши были обе – и певица, и песня, и считалось, что «Пусть всегда будет солнце» написано исключительно для Тамары Миансаровой.

И все ж это было не совсем так.

Впервые песню запела Майя Кристалинская.

Именно ее попросил Островский вместе с ним показать худсовету музыкальной редакции новую свою песню.

Песни в «Добром утре» прослушивались по вторникам, в музыкальной редакции – по четвергам. И вот в один из июльских четвергов 1962 года, к вечеру, в редакционной комнате раздался телефонный звонок, в трубку кричал возбужденный голос Островского: «Мы сейчас к вам приедем, я и Майя...» И через пятнадцать минут появляются с вытянутыми серьезнейшими лицами Островский и Кристалинская. И Островский, бросив свой тощий портфель из светлой кожи на чей-то стол, рассказал историю, которая никого здесь не изумила: худсовет музыкальной редакции не принял его новую песню. Конечно, для композитора, песни которого ежедневно звучат по радио, это было ЧП, сильный удар. Аркадий Ильич, указав на сиротливо лежащий портфель как на виновника своего несчастья и утерев пот со лба, бросил:

– Вот она. Лев Иванович сделал мировые стихи, я написал, по-моему, не худшую свою музыку, – и достал из портфеля клавир.

В комнате было несколько человек, вошел и Валентин Иванович Козлов, добрый гений отдела сатиры и юмора и его главный редактор, которому во многом обязана своим существованием передача «С добрым утром!», и успокоил Островского:

– Не волнуйтесь, Аркадий Ильич, мы вам поможем.

Но всех интересовал один вопрос – что же это за песня, которая, по словам автора, хороша, но ее не приняли? Может быть, автор ошибается? Такое бывает...

Островский сел за рояль, рядом встала Майя, и...

«Мы прослушали эту песню, – вспоминала Гуна Голуб, – и у всех в глазах стояли слезы. И решили срочно ее записать. Дать в передачу, которая шла в ближайшее воскресенье.

За ночь Островский оркестровал песню на небольшой ансамбль, на запись пригласили кроме Майи певца Безверхого, взяли двух мальчиков из хорового училища, и в пятницу была запись. Мы решили все вместе, что эта песня – как бы из семьи, ее должны петь женский голос, мужской и детский».

Вот так песня «Пусть всегда будет солнце» впервые появилась на свет в передаче «С добрым утром!»

А дальнейшая ее судьба уже связана с Тамарой Миансаровой. Не исключено, что это была ее песня. И, поняв это, Майя, далекая от склок и закулисной борьбы, на лавры Миансаровой не претендовала

2. Роковой диагноз

В июне 1962 года оркестр Рознера выступал в Летнем театре сада «Эрмитаж» в Каретном. Концерт шел за концертом, спрос на билеты не спадал, петь было приятно в этом непритязательном в своей простоте театрике, и привычно было слышать овации каждый день одного и того же уровня децибел, а потом идти пешком с букетом цветов к метро «Охотный ряд» и слышать долго стоявшее в ушах напутствие: «Холера ясна, спасибо, до завтра».

А в середине июня оркестр вместе с солистами переместился в салон самолета, вначале был Урал, потом – Сибирь, Рознеру она ох как знакома, а вот его солистки-певицы знали о ней понаслышке – кроме

Майи, побывавшей с «кратковременными гастролями» в Новосибирске. Но Сибирь ведь тоже русская земля, и там оркестр принимали так же радушно, особенно солисток, для них всегда отводились лучшие номера в лучших гостиницах.

И так повелось на этих гастролях, что Майя и Ира Подошьян жили в одном номере и разлучаться не хотели. Они были разными – сосредоточенная Майя и импульсивная и в то же время какая-то домашняя Ирина, от которой всегда веяло ненавязчивой заботой; обе не говоруньи, и, устав после вечерних концертов, они не обсуждали свои проблемы и далеки были от пересудов.

Утром Ирина просыпалась раньше, затем неохотно поднималась Майя, и после наскоро приготовленного в номере завтрака с горячим чаем из буфета Ирине, которая с непосредственностью ребенка интересовалась всем вокруг (а в каждом городе, даже захолустном, всегда найдутся свои достопримечательности), непременно нужна была прогулка по городу, и, как правило, пешая.

И Майя каждый раз отправлялась с ней и каждый раз хотела поскорее вернуться в гостиницу, жалуясь на то, что не выспалась. Она быстро уставала, и ничего удивительного в этом нет: концерт всегда требует напряжения, отдачи, и восстановить за ночь силы удается не каждому. Нужно иметь крепкое здоровье для частых переездов в плохо прибранных, изношенных вагонах, хрипло скрипящих, как певец, потерявший голос, с серыми от пыли окнами и грязными, в сальной копоти, поручнями. Но такова судьба гастролера – не обращать внимания на неудобства. Самолетом можно долететь в большой город, а «колесить» по стране – это только на поездах.

Отсюда и усталость, которую трудно побороть. Так считали Майя с Ириной. Вернувшись в номер, Майя снова ложилась отдыхать – теперь уже от прогулки, и так было до вечера, до концерта, выходить она никуда не хотела, только спускалась к обеду в кафе.

Но на концертах Майя шла по сцене своей обычной неторопливой походкой и застенчиво, с непременной улыбкой, отрабатывала все, что ей было отведено в программе. Да еще всегда пела «бисы» – была ли это песня Колмановского, Эшпая или Островского, из тех, что любили залы.

В конце июля они вернулись в Москву: предстоял короткий отпуск, а затем, в августе, поездка в Ленинград.

Возможно, сказалась разница температур – в отличие от последних нижневолжских городов, где стояла жара, в Москве похолодало, шли дожди, и, попав однажды под дождь, Майя простудилась. Она слегла, позвонила Вале Котелкиной, с которой они давно не виделись, и предложила ей приехать. После работы Валя, не заходя домой и не повидав маленькую дочь, бросилась к Майе. Представшая ее взору картина привела всегда рассудительную, спокойную Котелкину в ужас. Майя была дома одна, сидела на постели вся красная, с замотанным шарфом горлом, – у нее была высокая температура, что-то под сорок, но она не лежала пластом, а сидела на неубранной постели и слушала пластинки, которые валялись повсюду.

– Ангина, – сообщила Майя диагноз, поставленный участковым врачом. – Какая-то ангина, врачиха и сама не могла толком определить. Ты вот послушай, – она взяла в руки две пластинки, – здесь песня из «Жажды». На одной пою я, на другой – она. Ты вот определи, кто лучше. Только честно, Валя.

И она поставила одну из пластинок на диск проигрывателя и опустила иглу.

Ночь была с ливнями,
И трава в росе...

Пел очень знакомый голос. Он был не глубок, но красив, приятен, трогателен. Женщина понимает, что она и впрямь счастливая, но не считает нужным в этом признаться. Уж не Великанова ли поет, подумала Котелкина.

Песня закончилась, и Майя сразу же поставила другую пластинку. Да, это пела Майя. Откуда у нее такая глубина, такое счастье в голосе? Валя узнала ее сразу, могла отличить из тысячи. Майин голос она всегда безошибочно узнавала. Ну какое может быть сравнение...

Она взглянула на Майю, и вдруг слезы потекли по ее щекам. Валя расплакалась. Она сама не знала, что случилось, она ведь была не из плакс, а тут вот... Жалко Майку. Почему она такая пунцовая? Что с ней? От температуры? Ну да, и глаза блестят.

– Ты что это? – удивилась Майя. – Чего плачешь?

– Ты лучше поешь, – твердо сквозь слезы сказала Валя.

– Может быть, Валюша. Но я в этом не уверена.

Об опухоли на шее у Майи первой узнала Мария Лукач, молоденькая певица с хорошим голосом и веселыми глазками, находка для шоу Рознера. Было это на гастролях оркестра в Ленинграде, Кристалинская и Лукач жили в одном номере. Майя чувствовала в те дни себя плохо. Как-то, стоя у зеркала, она вдруг заметила на шее узелки на желёзках и сказала об этом Маше. «Это, наверно, после ангины, осложнение», – предположила Майя.

Но Лукач всполошилась. И вот Рознер, узнав обо всем от Лукач, сам подошел к Майе.

Оглядев Майю, он остановил взгляд на узелках, которые резко выделялись на шее, и настоятельно предложил срочно пойти к врачу. «Я тебя не собираюсь пугать, – сказал Эдди Игнатьевич, – но хочу знать, что с тобой. Я тоже думаю, что это после ангины, но пусть решают врачи, они лучше знают. Любую болезнь запускать нельзя, холера ясна».

По приезде в Москву Майя пошла в поликлинику. Участковый врач, осмотрев ее, сразу направил на консультацию к онкологу.

Но в диспансер, с его многочисленными очередями и записью к врачам на много дней вперед, Майя не пошла – мать Вали Котелкиной, которая работала в больнице МПС на Басманной, привела Майю в онкологическое отделение.

Диагноз был поставлен быстро, у опытных специалистов он сомнения не вызывал. Лимфогранулематоз – опухоль лимфатических желез.

Скрывать от Майи диагноз врачи не стали, но слово «злокачественная» произнесено не было. Необходимо облучение. Ей сделают его здесь же, в больнице. Дальше – нужно наблюдаться. Показаться опытному специалисту. Лучше всего попробовать попасть к Кассирскому. У него – клиника, где он занимается подобными заболеваниями.

Стоит ли описывать то, как Майя встретила этот неожиданно свалившийся на нее диагноз? Как разрыдалась, выйдя из больницы? Как страшно ей стало? Какое смятение затем наступило? И как взяла себя в руки, вытирая слезы? От слез ведь становится легче...

Никто не знает, о чем думала она в те дни – Майя никогда об этом не говорила. Возможно, она поняла тогда, что над ней навис дамоклов меч. Возможно, надеялась, что медицина – всесильна. И что никуда не уйти от того тяжкого груза, который она будет нести теперь всю жизнь...

Возможно...

Мы знаем только результат ее раздумий в тот день – она пела, радовалась, страдала, плакала, смеялась, ездила на гастроли и улыбалась друзьям. Она – жила.

Майя ничего не сказала дома – но не скрыла диагноз от Вали Котелкиной. Та, придя на работу, погрузилась в медицинскую энциклопедию. Прочитав слова – «прогноз плохой»,– снова расплакалась. И – растерялась: чем же она может помочь Майе?

В больнице Майе сделали первое облучение.

Вот так началась история болезни Майи Кристалинской. История появления косыночки на шее, как ни грустно, повысившей интерес к восходящей звезде советской эстрады.

А дальше... Дальше в ее жизни появился человек, на долгое время отодвинувший от нее опасность. Крупнейший московский гематолог Иосиф Абрамович Кассирский. Как она попала к нему, кто посоветовал, кто попросил Иосифа Абрамовича принять ее? Конечно, это может показаться не столь уж и важным, кто помог (многие считают, что звонил Кассирскому Рознер), кто попросил, – важно то, что Майя была направлена точно по адресу. Кассирский взял на себя не консультацию, а постоянное наблюдение и лечение и успешно проводил его на протяжении десяти лет.

Автограф Майи Кристалинской на конверте ее пластинки, подаренной И. А. Кассирскому

Майя и без посторонней помощи могла стать пациенткой Иосифа Абрамовича. Но тогда никто об этом не догадывался.

Кассирский был не только талантливым врачом, но и человеком большой культуры, имевшим еще и музыкальное образование. В его доме на Краснопрудной всегда собирались певцы, актеры, музыканты, писатели. Жил он в квартире, которую занимал до него Утесов. Большой зал с двумя подпорками-колоннами, в нем репетировал когда-то оркестр Леонида Осиповича. У Кассирского в этой огромной комнате стоял рояль, накрытый зеленым сукном, и все, кто бывал в доме, расписывались на сукне мелом, а затем эти подписи вышивали. (Не исключено, что этот вид автографов Иосиф Абрамович заимствовал у Льва Николаевича Толстого – в его доме в Москве, в Хамовниках, на столе в одной из комнат была скатерть с автографами, которые вышивала, следуя линиям из мела, Татьяна Львовна.) Сам Кассирский неплохо играл на флейте, ближайшими его друзьями были Ростропович и Вишневская. В гостиной висел портрет Галины Павловны в полный рост. Среди его друзей был и человек, оставивший по себе добрую память своими песнями, – «король танго» Оскар Строк. В доме в присутствии гостей часто музицировали. Играло трио в таком составе: Оскар Строк – рояль, Мстислав Ростропович – виолончель и Иосиф Кассирский – флейта. Какие личности!

Когда зимой 1971 года Иосиф Абрамович скончался, гроб с его телом был выставлен для прощания в зале клуба Академии наук. Перед выносом его из зала Ростропович, сидя подле гроба, играл на виолончели, прощаясь со своим удивительным другом.

И думается, что такой знаток музыки и любитель хорошей эстрады, как Кассирский, был рад помочь Майе Кристалинской, о которой он не мог не знать.

Эти страницы – не история болезни Кристалинской. Ее писали медики. Ее писал Иосиф Абрамович Кассирский, начавший лечение и успешно продолжавший его до последнего дня своей жизни. Ее писал академик-гематолог Андрей Иванович Воробьев, который лечил Майю Кристалинскую в течение следующих тринадцати лет. Ее писали и другие врачи, сейчас никто уже точно не помнит их имен. Правильно ли они лечили, все ли сделали, чтобы победить болезнь, или же болезнь победила их – мы не знаем и не узнаем никогда.

В истории болезни Кристалинской существует много непонятного для человека, далекого от медицины. Все мы умеем лечить простуду, когда даем больному чай с малиной, или насморк, когда он капает себе в нос, или диарею, когда сажаем больного на диету. Если же говорить серьезно о других заболеваниях, которые идут с нами рядом по жизни, то лечение знает только врач. Поэтому не стоит разбираться в том, кто лечил и как лечил Кристалинскую после Кассирского и Воробьева. Мы знаем только, что бывает обострение и ремиссия, что борьба с этой болезнью включает и облучение, и химиотерапию. Во время обострения Майя ложилась в клинику к Кассирскому, а затем, после его кончины, – к Воробьеву, во время ремиссии выходила, внешне здоровая, готовая петь и ездить на гастроли. Ей продлевали жизнь.

Стояла золотая осень, о которой так дружно пели девушки в оперетте Хренникова. Шоу Рознера переехало в Зеленый театр у Нескучного сада парка имени Горького, и звуки рознеровской трубы неслись теперь над водами Москвы-реки. В гримерной Ирина Подошьян готовилась к выходу на сцену, сидя перед зеркалом, как вдруг в зеркале показался влетевший в гримерную Эдди Рознер.

– Слушай, Ирина, – с порога закричал он, – у нас больше несчастье!

– Что случилось, Эдди Игнатьевич? – вскочила и оцепенела в ожидании Ирина.– Что?

– У Майи обнаружили рак. Она сделала анализ. Боже мой, такая молодая, талантливая...

Ирина медленно опустилась в кресло.

Так вот оно что... Ей сразу вспомнилась Майя в гостинице, ее постоянная усталость. И все стало понятно. Значит, уже тогда болезнь Майи дала о себе знать.

– Так вот, Ирочка, я тебя прошу, пусть завтра в Колонном выступит Майя. Ей сейчас это нужно. А ты заболей, но оставайся здоровой, холера ясна.

В Колонном зале завтра должно состояться какое- то важное мероприятие на правительственном уровне, после мероприятия – концерт, и на нем выступает Подошьян. Так решили в министерстве, а может быть, ее назвал Рознер, за что-то обидевшись на Майю, – на него это похоже. Но вот теперь он хочет ей помочь! Вот это Рознер! Молодец, холера ясна!

– Конечно, Эдди Игнатьевич, я согласна!

– Ну что ж, спасибо, Ирочка. Я сообщу в министерство о замене. Так ты больна...

Глава десятая

«В НАШЕМ ГОРОДЕ ДОЖДЬ»

1. Башня на Шаболовке

В 1929 году в Москве на Шаболовке было возведено небывалое оригинальное сооружение, сыгравшее большую роль в жизни не только Москвы, но и России. По чертежам гениального русского инженера Владимира Шухова была возведена башня, которая по сей день называется Шуховской. Проектировалась башня для радиовещания, а первые телепередачи были осуществлены в 1939 году. Такова была московская достопримечательность прежних лет. Гигантский черный, окольцованный клетками, рвущий в небо паук.

Башня Шухова принадлежала мало кому известному телевидению, и крошечный телецентрик воспринимался чуть ли не как спрятанный оборонный объект. У кого-то в доме был телевизионный ящичек, таких счастливцев можно было в Москве по пальцам перечесть. Это скромные инженеры, они могли своими руками собрать такой «ящичек». Изображение в нем нужно было рассматривать в солидную лупу, и тогда только что-то можно было увидеть. Например, симпатичную певицу, исполняющую романс Чайковского. Ящик жужжал, из него вырывалось нечто похожее на музыку.

Так было. Со временем телевизор увеличивал свои габариты; а узенький дворик около башни на Шаболовке со скромным купеческим особнячком, где и умещалась вся студия, увеличивал свои телевизионно-производственные площади.

Но какие же чудеса творила башня на Шаболовке! Что можно было увидеть на экране телевизионного приемника, в конце сороковых ставшего тем, что называлось КВН-49, – квадратным крепышом коричневого колера с приставленной к нему выпуклой линзой на подставке. Он напоминал плохо видящего старичка-очкарика из мультфильма. Однако появилась возможность что-то рассказывать людям, которые стали называться «телезрителями», показывать им концерт или даже футбол.

Шуховско-шаболовский «паук» уже начал опутывать судьбы подвернувшихся ему людей, попавших в его тонкие, но прочные сети.

В конце пятидесятых Шаболовка начала выдавливать из масс личности. Поначалу личности эти с опаской входили в кадр, потом их стало появляться все больше и больше, они осмелели. На экране появлялись писатели, ученые, журналисты, спортсмены, артисты, а среди артистов в первую очередь певцы, особенно эстрадные. Еще не было ни «Голубых огоньков», ни «Клуба кинопутешественников», ни «В мире животных», ни КВН, они позже врезались в нашу жизнь и до сих пор остаются в ней, и если выстроить по ранжиру все телевизионные «затеи» прошлых и нынешних лет, включая самые свежие, эти «старички» окажутся на голову выше остальных. Их закрывают, но они возрождаются снова – ничего другого, что соответствовало бы потребности гомо сапиенс советикус, в любую другую эпоху телевидение придумать не могло (не считая последнего из «долгожителей», но уже с начала семидесятых годов – «Песни года»).

Телевидение на Шаболовке в самом начале шестидесятых... Каким оно было? Пожалуй, никаким.

Но оно – было. И с этим нужно считаться.

2. Фальстарт

В один из дней вдруг раздался в квартире телефонный звонок. Трубка вежливо поприветствовала ее, фамилия и должность пролетели мимо уха, она вслушивалась с напряжением и вдруг поняла: ее приглашают на телевидение – приезжайте, познакомимся, как это получилось, что вы до сих пор у нас не были.

Майя и сама не раз думала о телевидении, дома уже светился по вечерам КВН, находясь на самом заметном месте, заглядывали соседи, поздравляли с явной завистью; Валентина Яковлевна с деланным равнодушием, из-за которого проступала гордость, сообщала: «Майечка купила». На экране двигались фигурки, чистенько, без помех, звучала музыка. Вчера пела Великанова, Майя с любопытством школьницы смотрела на экран. Пела Великанова в студии или показывали пленку, Майя не знала, в тонкостях телевидения не разбиралась; впрочем, какая разница, Великанова пела хорошо, у нее своя интонация и голос красивый. Смотреть на нее приятно – мягкие, немного вкрадчивые манеры, женственна, но не кокетлива, жест скупой. И держится уверенно... какая-то вся деловая... Поучиться бы, и не только у Великановой, затем и телевизор куплен, сиди себе дома, смотри – и наматывай на ус. Ты же не певица со стажем, ты – инженер-экономист, тебя считают выскочкой те, кто давно на эстраде, как пахнет каждый угол и каждый закоулок, откуда ждать завистливое шипение, а где тебя откровенно укусят. И ты должна это знать, если не хочешь возвращаться обратно в КБ и садиться за расчеты, крутя ручку арифмометра.

Все это понимала Майя, но она хотела петь, не заискивая ни перед кем, не залезая в джунгли артистических взаимоотношений – чем дальше ты продвигаешься в них, тем хлеще получаешь по лицу. Нужна большая сноровка, чтобы увернуться, и Майя знала, что этой сноровки у нее нет и никогда не будет.

А через несколько дней после звонка, после заочного знакомства, состоялось знакомство очное, оно было скоропалительным, никаких сомнений в том, что Майя будет прекрасно выглядеть на экране, не возникало, срочно нужно сниматься: готовится новогодняя программа. Ах да, какая песня? Мы бы хотели снять «В нашем городе дождь».

Эта песня уже была в эфире «Доброго утра», в редакцию приходили письма, в которых содержалась настоятельная просьба к Майе Кристалинской еще раз спеть эту песню.

А появилась она чуть ли не детективным образом. Как-то Майя позвонила Колмановскому и поинтересовалась, нет ли у него новых песен. Эдуард Савельевич ее звонку был рад, сказал, что песен для нее нет, но он ее увидит, покажет то новое, что недавно написано. Майя отказать не могла; и вот, сидя за роялем, Колмановский показал ей сначала «Песенку архивариуса» для «Доброго утра» – Майя сказала, что Гуна и Мещерин будут счастливы, услышав ее, а потом – «В нашем городе дождь».

– Я бы ее спела, Эдуард Савельевич, – робко попросила Майя, – это же для меня...

Майя подумала, что после «Тишины» Колмановский ничего похожего не писал, а вот песня, оказывается, – не для нее. Тогда для кого же?

– Я ее хочу отдать одной певице из Большого театра, давно обещал для нее написать, и вот...

– Жаль, – огорчилась Майя, но упрашивать Колмановского не стала. Песню, по своему обыкновению, она запомнила сразу, и музыку и стихи. На следующий день в редакции «Доброго утра» спела ее Гуне. Прослушав, Гуна заявила, что песня – изумительная, что ее следует немедленно записать и дать в эфир, а с Эдуардом надо договориться. Предложила оркестровать Арнольду Норченко, и через два дня состоялась запись.

– Ты превзошла себя, – сказала Гуна. Все, что произошло дальше, придумала она. В ней заговорило редакторское самолюбие, не позволившее упустить шанс. Гуна позвонила Колмановскому и, ничего не говоря ему про песню, предложила приехать в студию:

– Хотим показать вам одну песню.

Естественно, последовал вопрос: «Какую?» Ответ был интригующим:

– Приезжайте, услышите.

Это было сказано серьезным тоном. Колмановский приехал в тот же вечер. Гуна встретила его приветливо; Майя стояла, опустив глаза. Услышав начало песни, Колмановский взметнул черные густые брови с такой силой, что казалось, они переместятся на макушку. Насупившись, он дослушал песню до конца, но останавливать запись не стал. Слушал настороженно, но с каждой спетой Майей фразой его лицо светлело. Откуда у них эта песня? Ведь Майя же не могла похитить у него клавир, он так и стоит на пюпитре рояля. А когда песня закончилась и на магнитофонной бобине побежала белая пленка, Колмановский выдавил из себя: «Хорошо!» И тут его осенило. Композитор вспомнил о феномене Майи.

– Не сердитесь, Эдуард Савельевич, – заговорила Гуна, невинно распахнув честные глаза, в которых начинали прыгать смешинки. – В эфир песня не пойдет... Мы решили сделать вам подарок, только и всего. Но ведь правда, Майечка хорошо спела?

– Правда, Гуна, – пришел в себя Колмановский. – Я принимаю ваш подарок. – И засмеялся.– Майечка, с вами опасно иметь дело, вы же находка для разведки. Это потрясающе! Но за честность, девушки, – спасибо. Ставьте в эфир, а для Большого я буду писать оперу, – пошутил он.

Так песня появилась в «Добром утре».

А еще через два дня Майя стояла в студии на Шаболовке и жмурилась от направленного на нее круглого прожектора, слепящего и безжалостного. Ей в диковинку было здесь все: она только в кино видела съемочные павильоны и снующих взад и вперед людей. С потолка свисало еще темное полотно с белыми контурами высоких домов, выстроившихся в улицу, и рыжими пятнами освещенных окон. Возле нее дежурила гримерша, то и дело подправляя прическу.

Режиссер, высокий, сутулый и тощий, в белой рубашке и серых брюках – Майя назвала его про себя Паганель, – метался по студии и затем наконец остановился возле большого стекла в раме на подпорках. Паганель вооружился шлангом, вода вдруг мощной струей брызнула на стекло и побежала тонкими струйками.

Слепил свет, Паганель подвел Майю к камере, которая, казалось, спокойно спала в стороне:

«Встаньте вот здесь. Так, хорошо. Чуть выше голову, улыбки не надо, вам ведь грустно? – И, не дожидаясь ответа, бросил в студию: – Свет!»

За два часа суетной подготовки все в студии стало привычным, хотя предстояло самое трудное, никогда не пробованное, – сыграть песню. Здесь не концертный зал, где твои черты, улыбку или сжатые губы стирает расстояние; в павильоне глаз камеры впивается в тебя, здесь он хозяин, его не обманешь, и песня становится частью твоей души, что фиксирует поблескивающий, как монокль, киноглаз.

И вдруг – голос: «В нашем городе дождь», дубль первый». Перед камерой возникла черная дощечка с названием песни, написанным мелом.

Грянула фонограмма, не дожидаясь, пока певица соберется с духом.

В нашем городе дождь,
Он идет днем и ночью,
Слов моих ты не ждешь,
Ты не ждешь,
Я люблю тебя молча.

И не только кинокамера, но и острый глаз Паганеля следил за Майей. Паганель открывал рот вместе с нею, делал ей знаки, показывая, куда надо двинуться, где встать. Но Майя, сразу подхватив фонограмму, прильнула к стеклу с «дождем», не сделав более ни одного движения…

Струи дождя катились вниз, вода разбивалась на маленькие частики-капельки и застывала на стекле. Широко раскрытые глаза. Майи стали невидящими, они унеслись куда-то далеко-далеко, сквозь дождь, казавшийся теперь слезами…

Дождь по крышам стучит,
Так что стонут все крыши,
А во мне все кричит,
Все кричит,
Только ты не услышишь.

Режиссер остановился, замер на месте. И так простоял до конца съемки, а потом сказал неожиданно:

– Очень хорошо, Майя Владимировна. Вы талантливый человек…

– Ну что вы, – смутилась Майя. И улыбнулась.

Тоже – ямочками.

Но в тот момент, явно счастливый для нее, она еще не подозревала, какой силы удар ожидает ее впереди.

Из воспоминаний Нины Григорьянц, в ту пору заместителя главного редактора музыкальной редакции на Шаболовке:

«С Майей Кристалинской мы впервые встретились в работе в начале шестидесятых годов.

"Мы" – это группа музыкальных редакторов Всесоюзного радио, перешедших на Центральное телевидение. Музыкальное телевидение еще не было ни частью всеобщего досуга, ни предметом широких обсуждений. Мы совершенно не представляли, что ждет нас на этом поприще, и располагали только непоколебимой уверенностью, что радио несравненно выше телевидения как искусство и соответственно мы как профессионалы на порядок выше работников телевидения. Жизнь постепенно сбивала с нас эту спесь. Очень скоро мы стали понимать, что речь идет не о "выше" или "ниже", а о разном, другом, и этому нужно учиться заново.

В водовороте нашего первого столкновения с новым невольно оказалась Майя Кристалинская. Мы готовили ночной новогодний концерт. Времени было в обрез, опыта, как уже понятно, никакого. Включали номера, у кого что было на слуху, что было под руками. У Майи к этому времени с успехом прошла песня "В нашем городе дождь". Мы пригласили ее с этой – песней, и никому не могло в голову прийти, что дождь среди морозной зимы и грустный настрой в новогоднем концерте могут кому-то показаться неуместными. Сегодня это кажется абсурдным. Однако руководство к подобной чепухе относилось очень придирчиво. Грусти не должно было быть ни по какому поводу. И то, что на радио проходило незаметно, на экране подчеркивалось, усиленное видеорядом.

Второго января разразился скандал. Никаких аргументов против этого номера, кроме тех, о которых я упомянула, нам предъявлено не было. Да и руководство Телерадио никогда аргументами особенно себя не обременяло. Наша первая работа провалилась. Даже Борис Осипович Дунаевский, старший брат Исаака Осиповича, встретивший нас поначалу очень тепло, высказался в унисон с руководством. В то время при Центральном телевидении был так называемый совет телезрителей, и Борис Осипович его возглавлял. Выступление Кристалинской было диссонансом в жизнерадостном окружении. Вероятно, от нас ждали успеха, а получили ухудшенный вариант обычного. Как бы то ни было, но досталось за всех Майе. Ее "исключили из студии". Путь на телеэкран ей на некоторое время был закрыт» (Григорьянц Н. «Музыка на экране». Рукопись).

«Криминальная история» с песней «В нашем городе дождь» на Центральном телевидении образца начала шестидесятых закончилась. Но это только на телевидении. Песня же продолжала будоражить умы не той части представителей народных масс, которые любят песни вообще и эту полюбили в частности, а коллег Колмановского – композиторов.

Газета «Советская культура» поместила 5 декабря 1961 года вот такую заметку в рубрике «Спрашивали – отвечаем» (я привожу ее с некоторыми сокращениями). Заметка называется «За взыскательный вкус»:

«Уважаемая редакция! Напишите, пожалуйста, о художественных достоинствах песни Э. Колмановского на слова Е. Евтушенко "В нашем городе дождь", – просит нас читатель Д. Янкелевич (Москва).

Странно! Зачем читателю понадобилось, чтобы газета разъясняла «художественные достоинства» песни? Д. Янкелевич, возможно, и живет в Москве, но вряд ли он писал письмо с таким несуразным вопросом.

Газета отвечает:

«Э. Колмановский – один из наших одаренных композиторов-песенников. Лучшие его песни отличаются яркой выразительностью, эмоциональной задушевностью, рельефной мелодикой и находят путь к сердцу широкого слушателя. К сожалению, Э. Колмановский работает неравно, подчас относится недостаточно взыскательно к своим произведениям, изменяя высокому художественному вкусу, вольно или невольно использует интонации мещанской сентиментальной лирики. Из-под его пера выходят иногда сочинения с оттенком пошлости. В известной мере это ощутимо и в песне "В нашем городе дождь".

На днях песня «В нашем городе дождь» в числе других произведений Э. Колмановского (песня "Хотят ли русские войны". – *А. Г.*) обсуждалась на расширенном заседании президиума правления Московского отделения Союза композиторов РСФСР. Мы публикуем несколько выдержек из выступлений на обсуждении видных композиторов и музыковедов.

И. Нестьев (музыковед. – *А. Г.*). В этих песнях воскрешается стиль "дореволюционного салона", проникнутый сентиментальными и пошлыми интонациями, ничего общего с нашей героической современностью не имеющий...

Ю. Милютин: "В нашем городе дождь" – песня душещипательная, она полна пессимизма. А сам "дождь" – это символ беспросветности и бесперспективности.

О. Фельцман: При самом доброжелательном отношении к творчеству Э. Колмановского в этих двух песнях очевидны просчеты, тем более что "В нашем городе дождь" сделана по-своему мастерски и захватывает своей безысходностью. Песня эта некоторым слушателям нравится, но задача композитора – воспитывать вкусы.

В. Фере: В обсуждаемых песнях Э. Колмановского нет ощущения дыхания нашей жизни. Некоторым, к сожалению, они нравятся, и особенно людям с "душевным надрывом", но эту болезнь композиторы должны лечить.

Г. Литинекий (профессор института им. Гнесиных. – *А. Г.*) ...Если песню "Хотят ли русские войны", музыкальные интонации которой совсем не соответствуют тексту, буквально спасает великолепный певец Г. Отс, то в исполнении М. Кристалинской "В нашем городе дождь" все недостатки выплывают наружу.

Мы привели лишь краткие реплики этого интересного обсуждения, которое носило характер дружеской, но требовательной и принципиальной критики».

Очень уж «дружеский» характер...

Глава одиннадцатая

«ДЕТСТВО УШЛО ВДАЛЬ»

Песни второй половины сороковых годов вместе с песнями пятидесятых составили, пожалуй, одно целое. Появились радиоприемники, и песня уже не знала преград. Поворот ручки – и... «Внимание, говорит Москва. Передаем концерт лирической песни». И вот вам на радость – «Лучше нету того цвету», «Услышь меня, хорошая», «Каким ты был, таким остался», « Сирень-черемуха», «Одинокая гармонь», «В городском саду»... Варианты могли быть, но выбор песен был невелик.

А потом зазвучали в концертах песни пятидесятых годов – им тоже было чем похвастаться: «Почему ты мне не встретилась», «Три года ты мне снилась», «Огней так много золотых», «Если б гармошка умела», «Тишина», «Старый парк», «Молчание»... И наконец, песня, которая никогда не перекочует в разряд ретро, – «Подмосковные вечера». Варианты тоже есть, выбор их уже значительно больше.

И все же в пятидесятых песен немного. Был ли это спад после эмоционального напряжения военных сороковых? Возможно. Но спад преодолевался, хотя и медленно.

На очереди были шестидесятые. И как, размышляя, очень точно заметил известный поэт, «этот отрезок времени для искусства оказался более стабильным, чем предыдущее десятилетие».

Верная мысль. И далее:

«В шестидесятых резко усилилась отечественная литература, появилась так называемая "проза лейтенантов", то есть книги о минувшей войне, "деревенская", "городская" проза... В шестидесятых произошло такое событие, как появление Солженицына. Разнообразно и ярко зазвучала поэзия. Вставало на ноги новое кино.

И в этом же общем потоке как продолжение и развитие песен второй половины пятидесятых все более и более крепла песня шестидесятых годов, смело выдвигала неожиданные имена поэтов, композиторов, исполнителей…»[1]

Все здесь правильно. Но допущена одна несправедливость, и, на мой взгляд, серьезная, да простит меня поэт за этот упрек. Рядом со словами «вставало новое кино» следовало бы добавить – «и телевидение».

В ошеломляющем успехе песен шестидесятых главную роль сыграло телевидение.

С первой попытки Кристалинская телевидение не «взяла», к планке с этой высотой она подойдет позже, а вот через несколько месяцев после ее неудачи музыкальное ТВ – а именно о нем пойдет речь – как бы подвело черту под тем, что уже сделано, отделив то, что будет сделано

Сейчас Майя начнет петь…
1970-е

далее. 7 апреля 1962 года появилась передача, которой впоследствии не было равных по популярности на всем Центральном телевидении, – «Голубой огонек». И до «Огоньков» песенным передачам светило телезрительское солнце, но они и надеяться не могли на ту всеобщую «смотрибельность», какая выпала на долю оттеснившего их собрата. Однажды счастливо найденная форма наполнилась содержанием, вполне устраивавшим телезрителя своей простотой, демократичностью, мягким домашним характером.

Об «изобретении» «Голубого огонька» и по сей день ходят легенды, авторство приписывается то одному, то другому «изобретателю» – так обычно и бывает, когда талантливые находки оказываются в центре внимания. Эффект соучастия, будто вы сами встречаетесь с гостями «Огонька» (а там люди-то какие, только вот руку вам не пожмут, не дотянутся), и делало передачу желанной, долгожданной, благословенной.

Все так, но было в «Огоньках» шестидесятых (и в последующее десятилетие тоже) еще одно, и, пожалуй, главное, достоинство: вместе с хорошими людьми в студии «гостили» хорошие песни. Зрителю в виде подарка подносили либо вашу любимую песню, либо ту, которая, несомненно, станет любимицей. «Голубой огонек» стал

---

1   К. Ваншенкин. Предисловие к песенному сборнику «Песня остается с человеком». М., 1994.

в числе «организаторов и вдохновителей» песенного искусства для композиторов, поэтов и исполнителей всей страны. Конечно, космонавту, животноводу, спортсмену-рекордсмену было престижно присутствовать на «Огоньке», однако передача нужна была в первую очередь авторам и исполнителям песен. Они несли сюда все лучшее, на что бывали способны. Именно «Огоньки» вырастили целую плеяду будущих мастеров песни – их находили композиторы, которые уже протоптали себе дорожку на Шаболовку, они выставляли свои лучшие песни на всеобщее обозрение, а вместе с ними – и исполнителей. А дальше и песни, и певцы переходили в другие передачи.

Если другие передачи телевидения смотрелись избирательно, «Голубой огонек» видели все.

Вначале «Голубой огонек» выходил еженедельно и был задуман как встреча друзей по искусству за чашечкой кофе после трудового дня на сцене или концертной площадке. Потом его участь решили профпраздники – всевозможные дни рыбака, строителя, учителя, шахтера, дней этих, слава богу, находилось немало, а на «Огоньке» можно было спеть не только «Школьный вальс» или «На рыбалке, у реки». В семидесятых, не утратив эфирного главенства в красные дни календаря, «Огонек» изменил свое лицо, приобретя, по словам Эльдара Рязанова, черты «пролетарского великолепия». На помощь ему пришла новая передача – «Песня года». Это было уже другое время – и, стало быть, другие песни.

Ни радио, многое сделавшее в свое время для верных своих слушателей, ни концертные залы, переполненные на «сборных» концертах, где самое большое место занимала песня, не могли сделать за десятилетия того, что телевидение сотворило всего за два-три года. Песня на экране оказалась внушительнее, а любовь к ней росла с ростом ТВ. Молодые исполнители это почувствовали быстро, и студии на Шаболовке сделались для них площадкой номер один. В начале шестидесятых на «Голубой огонек» охотно приглашали «прошлых» молодых «выскочек». Это были неутомимый, всегда живущий по принципу «ни дня без песни» Иосиф Кобзон, любимец Азербайджана и всей страны Муслим Магомаев, оперно-эстрадный тюменец из Киева Юрий Гуляев, два представителя «провинциального» Ленинграда на московском уровне – Эдита Пьеха и Эдуард Хиль, русское народное бельканто Людмила Зыкина, символ любви и неги Лариса Мондрус из Риги.

Майе Кристалинской была вскоре выдана индульгенция. Ей не пришлось ждать смены злопамятного руководства на ТВ, она вернулась на Шаболовку со щитом, въехав на «вороном коне», которого вел под уздцы Аркадий Островский.

Иосиф Кобзон

Композитор приметил Майю сразу, как только она появилась в «Первом шаге». Он всегда искал исполнителей молодых – они приносили с собой новые ощущения от быстролетящей жизни, находили новые повороты, и никакой ироничности по отношению к «старичкам» у них не было. Кроме того, неожиданное знакомство с одним «искателем счастья» в песенной Москве сыграло огромную роль в его вполне обоснованных композиторских амбициях.

Этим соискателем оказался человек, которому была суждена долгая жизнь на эстраде.

Студент института имени Гнесиных, армейский «дембель» Иосиф Кобзон сам подошел как-то после одного из концертов к композитору, попросил разрешения позвонить ему и приехать, чтобы получить его новые песни. Да и старые он тоже не прочь бы спеть. Островский не возражал.

Так началось их «творческое содружество». У каждого такого содружества есть свой пик. И вот этот «пик» у баритона Кобзона, композитора Островского и поэта, готового писать на любые темы, – Ошанина имел название «А у нас во дворе» или, короче, «Дворовый цикл».

Впервые в истории песни двор становится местом действия ее героев. Ну еще королевский двор, я понимаю. Но тут – самый обычный дворик в Москве, каких тысячи среди домов постройки незапамятного времени. Такие дворы и до сих пор еще сохранились в старой Москве, в пречистенских, остоженских, арбатских переулках, на Покровке и Чистых прудах. В начале шестидесятых их было гораздо больше, она была еще той Москвой, где во дворах играли в футбол, сохло белье на веревках и старухи на лавочках судачили про все на свете, но прежде всего – про новоявленные парочки из юных жителей и жительниц подъездов своего дома.

В Фурманном, в двух минутах ходьбы от Чистых прудов, где осенью на желтой воде плавали плотики-листья и тянулись прямые стрелы аллей, находился обычный московский обшарпанный дом, с окнами во двор, а во дворе стоял голубенький «москвич», и его владелец, дядя Аркаша Островский, катал обомлевших от счастья местных ребятишек. По этому двору и ходила одна девчонка, неприметная среди подруг, и глядел ей вслед выросший мальчишка, смотрел, когда она идет из булочной, или следил по утрам из окна, ждал, когда же она застучит каблучками.

Я гляжу ей вслед.
Ничего в ней нет,
А я все гляжу
Глаз не отвожу...

Не правда ли, так и слышится голос Кобзона, когда вы читаете эти строки. А ведь больше никто и не брался за эту песню, как и за все другие из «Дворового цикла»: зачем подставляться?

Островский и Кобзон принесли эту песню сначала на радио, потом – на телевидение в «Голубой огонек», и студия у «паука» на три песенных минуты превратилась в тихий двор с короткими мальчишечьими выкриками «гол», и каждый, кто сидел за «огоньковскими» столиками с чашечками кофе, не мог не вспомнить свой собственный двор, не вспомнить себя, когда-то юного его обитателя.

А потом во дворе девчонка и мальчишка, уже повзрослевшие, никак не могли проститься. Она в туфельках, в свитере, стучат старики в домино, двор есть двор, и у него своя жизнь и музыка своя – крутится пластинка на патефоне в окне, а они – рядом... Не отнимай свою руку, пожалуйста ... Поцелуй на прощание ... Я уезжаю. Может быть, еще встретимся ... Сказал просто, по-мальчишески.

И опять во дворе
Нам пластинка поет
И проститься с тобой
Все никак не дает.

Две песни – одна материализовалась из воздуха, в котором носился аромат Чистых прудов, другую же кто-то подсказал, уж очень получается все заманчиво. А что дальше-то, интересно знать...

Дальше? По-прежнему будут стучать старики в домино, и пластинка будет играть, и бабки на скамейке притихнут – любовь ведь удел молодых. «Он» в растерянности: а что скажет «она»?

«Дорогой Аркадий Ильич, дорогой Лев Иванович, что же вы все о нем да о нем? Об этом мальчишке? – упрекают их в письмах девушки. Это несправедливо, и нам нужно знать, как поступит она! Любит его, да? Как вы считаете?»

Идут споры – обычные трудовые будни композитора и поэта, а для нас это праздники, ведь рождается песня. Кобзон свои две поет в каждом концерте, чуть ли не в каждой передаче по ТВ, кто будет петь следующую песню? Девушка в свитере и на каблучках-гвоздиках отвечает ему: «Я тебя подожду». И обещает это с такой грустью, что ни у композитора, ни у поэта не остается сомнения в том, кто будет петь эту песню.

Островский звонит Майе Кристалинской. Кобзон – одобряет.

Конечно, Майя, только Майя, лучше никто не споет. Впервые он увидел Майю у Островского, тогда только начинал с ним работать, а Майя уже пела его песни.

«Вначале я просто обратил на нее внимание, – скажет он. – Но что же в ней такого? Почему она так известна? Голоса нет, да и фигура не очень удалась – она стала потом моей любимой подругой, и я могу себе позволить такой мужской "цинизм". Но вот стоило Майюшке, как я ее называл, улыбнуться – появлялись ямочки на ее щеках, глазки такие прищуренные, и такая искренность, и сразу становилось тепло, а когда Майечка начинала петь, хотелось бесконечно слушать ее».

И вот она явилась к Островскому, села в кресло и стала слушать третью песню про двор, а потом тут же спела ее. Сидя за роялем с наскоро написанным клавиром на пюпитре, Островский смотрел на Майю, не веря собственным ушам, испуганно смотрел: уж не колдунья ли она, так ведь не бывает. Песня у нее готова, в общих чертах, конечно, она еще будет делать ее...

В песне «он» уже не искал «ее», он уехал, как и обещал; она идет в кино – не с другим, а с Наташкой... А старики все играют в домино, и крутится та же пластинка. Только вот его нет. Но ведь он сказал, что придет, хоть на вечер вернется сюда... Где он? Она его подождет, да...

> *А за окном то дождь, то снег,*
> *И спать пора, и никак не уснуть.*
> *Все тот же двор, все тот же смех,*
> *И лишь тебя не хватает чуть-чуть...*

Пишется песенная повесть о любви, вспыхнувшей в ранней юности. Получился цикл, но по времени он растянулся. Майя и Иосиф поют эти песни в концертах, и вместе поют, и порознь, и песни эти никому и никогда не надоедают. Оба на разных площадках рисуют одну и ту же акварельную картинку: двор, отгороженный от улицы липами, дощатый стол с длинными лавками, только на акварели у Кобзона – романтик с рюкзаком за плечами, торопящийся на поезд, а у Кристалинской – девушка все в том же свитерочке и на тех же гвоздиках...

«Что вы делаете, товарищи сочинители? – стали приходить письма. – Почему вы не напишете о том, что произошло дальше?» А в письме с Алтая даже прислали стихи: вот что произошло дальше – ходит девушка в кино с другим. Так, что ли?

Воображение может дорисовать любой сюжет, и он начнет развиваться в зависимости от красок, которыми воображение располагает. Художники снова взялись за кисти. Кобзон получил ту же акварель, но с изображением уже не юноши, а молодого человека: три года не был здесь, вернулся, и вот он, старый добрый дом, и горят «квадратики огня» на том, на «милом» этаже, но горят уже не для него. Не дождалась... И пластинка крутится другая, и каблучки стучат иные. Лишь за столом играют в домино все те же старики.

> *У этих вот ворот*
> *Шаги твои стерег...*
> *Где он теперь мелькнет,*
> *Твой тонкий свитерок?*

Это было на телеэкране, это было в Колонном зале, и где бы ни звучала пятая песня – «Детство ушло вдаль», она становилась драмой с неожиданным концом. Вся песня – в голосе Кристалинской, в филигранности каждого слова и каждой интонации, это не песня, это пьеса, спектакль, это театр – и в нем одна актриса. Такой же театр, какой был у Шульженко и Бернеса.

Вот она подносит к лицу микрофон и серьезно смотрит в зал.

> *Детство ушло вдаль,*
> *Детства чуть-чуть жаль.*

(Вздох на слове «жаль», и не «чуть-чуть», а очень жаль.)

> *Помню сердец стук,*
> *И смелость глаз,*
> *И робость рук.*

(На последних словах горечь, в голосе появилась легкая хрипотца, как у очень уставшего человека.)

> *И все сбылось,*
> *И не сбылось,*
> *Венком сомнений*
> *И надежд переплелось.*

(Голос подчеркивает слово «не сбылось». И, как мы услышим дальше, слова «сбылось и не сбылось» становятся определяющими в песне актрисы.)

> *И счастья нет,*
> *И счастье ждет...*

(В этом она не очень уверена.)

> *У наших старых,*
> *наших маленьких ворот.*
> *Если б тебе знать...*

(В голосе укор.)

> *Как нелегко ждать...*

(В голосе – страдание, глубокое, затаенное, на секунду прорвавшееся – и снова спрятанное, все уже пережито.)

> *Ты б не терял дня,*
> *Догнал меня, вернул меня.*

(Она уверена, что он так бы и поступил, если бы только знал, голос даже задыхается от волнения: все могло быть по-другому!)

> *И все сбылось,*
> *И не сбылось...*

(Вот потому-то и не сбылось, но зачем об этом вспоминать?)

> *И счастья нет,*
> *И счастье ждет*
> *У наших старых,*
> *Наших маленьких ворот...*

И вдруг – голос преображается, появляются светлые нотки, их все больше и больше:

> *Слушай шагов звук,*
> *Двери входной стук...*

(И с – мольбой!)

> *Голос встречай мой,*
> *Спешу к тебе, спешу домой!*

Теперь перед нами снова та девушка, которая уверяла в предыдущей песне, что подождет:

> *И все сбылось...*

(Да, да – сбудется в конце концов!)

> *И не сбылось...*

(Это слово уже не имеет значения, потому что в следующей фразе есть слово «надежда».)

> *Венком сомнений и надежд переплелось...*

Она не выделяет слово «надежда», но мы слышим, что это надежда на возвращение того, что ушло, и понимаем благодаря одной лишь интонации в голосе – это ведь та самая девочка с «милого этажа» с окнами во двор. И как же по-девичьи смущенно звучат слова:

> *И счастья нет,*
> *И счастье – ждет*

(Оно – впереди!)

> *У наших старых,*
> *Наших маленьких ворот.*

У Островского и Ошанина эти «акварельные картинки» с помощью Иосифа Кобзона и Майи Кристалинской стали удивительной песенной живописью. Но отнюдь не жанровой. Старый московский двор, зажатый между Чистыми прудами и Садовым кольцом, был только его фоном.

А когда песня «Детство ушло вдаль» была издана, благодарный композитор на первом листе написал посвящение: «Майе Кристалинской».

...Спустя несколько лет, 18 сентября 1967 года, в Сочи от прободения язвы умирает Аркадий Ильич Островский. Уход из жизни этого человека, влюбленного в жизнь всем существом своим и своими песнями, был неожиданным и нелепым.

В Колонном зале – концерт его памяти. Кристалинская выбирает песню, которую ей хочется спеть именно в этот день, – «Круги на воде». Это даже не песня, это романс, и далеко не веселый. Стихи Инны Кашежевой сложны, философичны: «Круги на воде, круги на воде, я вспоминаю, что видела это, не помню когда, да и важно ли, где, в далеком когда-то, неведомом где-то...»

Майе казалось, что она не совсем понимает эту песню, она не очень «дошла» до нее, но спеть ее хотела и попросила Чермена Касаева помочь ей. Прямо на репетиции, в день концерта. Она попросила его сесть в первый ряд, чтобы видеть его. Чермен выполнил ее просьбу. Опытный редактор, блестяще проводивший с исполнителями записи, он, по существу, стал для Майи режиссером этой песни, давал ей советы, показывал нюансировку, динамику.

Вечером, на концерте с оркестром Юрия Силантьева (на репетиции Майя пела под фортепиано), Майя исполнила песню так, что на сцену вышел Тихон Хренников и расцеловал ее, сказав: «Как ты спела!..»

Глава двенадцатая

«НЕЖНОСТЬ»

1. Радости и печали

Всего два года понадобилось Майе в шестидесятые – «ее» десятилетие,– чтобы о ней заговорили. Ей еще не давали «сольники», но скоро будут и они – сольные концерты в Москве и на гастролях. На нее уже нацелилась пресса, как будто очнулась от долгой спячки, прикорнув возле звезд, уже поистершихся на газетно-журнальных страницах, а тут новая звезда и одна из самых крупных – Майя Кристалинская. С гастролей Майя привозила с собой ворох газет со своими портретами и обширными интервью чуть ли не на полполосы.

Она выходила на сцену каждый раз в неизменном костюмчике с косыночкой вокруг шеи. Костюмы могли быть разными – серенький, фиолетовый, бордовый, их у нее было всего три, для эстрадной певицы – до смешного мало, но она была уверена, что не платье определяет успех, а песня, голос, манера держаться. Костюмы она выбирала в соответствии со вкусом своей «крестной матери», благословившей ее на выход в шумное море жизни эстрадной певицы, где никогда не будет покоя, – Елизаветы Алексеевны Лобачевой, которая и сама выходила на сцену только в скромном костюме. К тому же у Майи не было и денег на постоянную смену дорогих туалетов. Она считала, что к ее внешности костюм очень даже подходит.

А косынка появилась, оставшись на годы, и исчезнуть уже не могла: облучение шло полным ходом, Иосиф Абрамович считал, что это единственное средство для ее спасения. Он наблюдал за Майей, проводил обследования, глаз с нее не спускал, поскольку привязался к ней не только как врач, поклонник ее таланта, но и как отец. Когда она ложилась к нему в клинику (одна из больниц МПС, на Яузе, с отделением гематологии), то чем она могла отблагодарить профессора? Не деньгами же, медицина того времени не знала не только о многих открытиях зарубежных коллег, но и о том, что такое «платные услуги». Майя же могла устроить концерт для медперсонала и больных, звонила Ире Подошьян с просьбой помочь. Ирина прибегала в клинику, приводила с собой кое-кого из артистов эстрады – и концерт проходил в переполненном конференц-зале.

Она заканчивала очередной курс и с головой уходила в прежнюю, покинутую на некоторое время жизнь. В ее квартире на Красносельской часто раздавались звонки: звонили с предложением спеть новую песню композиторы, приглашали заводские клубы и профкомы – пожалуйста, Майя Владимировна, приезжайте, ждем вас; звонили незнакомые люди: спасибо вам, Майя Владимировна, за ваши песни, как же вы душевно поете! Валентина Яковлевна сердилась, отвечать на звонки при всей гордости за дочь не любила, но зато Аня вела все переговоры и с точностью докладывала о них Майе, когда та возвращалась после концерта с очередным букетом цветов, которые в доме не переводились, и в изнеможении падала на кровать.

Она еще продолжала петь у Рознера, но пела далеко не в каждом концерте, ей звонили из ВГКО (теперь уже Москонцерта) и предлагали выступить в противоположных краях Москвы в тот же день, вечер, и она, едва закончив работу в саду «Эрмитаж», в ЦДСА или в Театре эстрады, где «гастролировал» Рознер, мчалась на такси в клуб завода где-нибудь на Электрозаводской, Москворецкой набережной или Рогожской заставе. Здесь ее ждали, объявляли ее выход, и она выходила под аплодисменты, нарастающие с каждым месяцем и днем. Но это были концерты с ее участием, а вот первый сольный – имеет свою историю.

Началась она со знакомства Майи с Марией Борисовной Мульяш, редактором концертного зала «Россия», а в то время – редактором (но не главным) Москонцерта, и тоже с немалым стажем. Мария Борисовна, или просто Муся, как ее называли все близкие, – энергичный, умный, с железной волей человек, имела музыкальное образование (когда-то была певицей), прекрасно знала эстраду и психологию ее людей и, несмотря на некоторую свою резкость, обладала доброй, отзывчивой душой. С Майей они потянулись друг к другу, подружились, и, разумеется, Муся не могла не стать «опекуном» Кристалинской. Это и хорошо, потому что в жизни Майи часто наступали минуты, когда требовалось ей доброе женское слово, участие, а то и утешение. Муся же заботилась о ней как могла.

Когда Мария Борисовна познакомилась с Майей, «Россия» еще не существовала, пределом мечтаний исполнителей был Театр эстрады. Муся считала, что сольный концерт Майе необходим, и уговорила ее. Получить Театр эстрады – дело непростое, и Мария Борисовна решила соединить в одном концерте два имени – Майя Кристалинская и Гелена Великанова. Получился этакий «дамский концерт». Великанова выступала во втором отделении, это было ее условием. Майя вышла в скромном костюме: с косынкой, костюм ей достала Муся, выпросив на время на какой-то базе. Великанова же, знаменитость, выступала в элегантном красивом платье.

Концерт прошел с огромным успехом. И никто не ожидал, что на долю Кристалинской оваций придется намного больше, чем Великановой. Вот это имело в дальнейшем свои последствия.

Уже став эстрадной певицей первой величины, Майя выходила на сцену так, как будто делала это в первый раз, и, как подметил Чермен Касаев, который часто бывал на ее концертах, «выходила как бы извиняясь, с опущенной головой, немножко боком, ее встречали аплодисментами, и она стеснялась их, и уже потом как то свыклась».

Ее включили в число участников II Всероссийского конкурса артистов эстрады. Майя поначалу испугалась, но потом поняла, что может выступить неплохо, и согласилась. Конкурс проходил в Театре эстрады, зал обычно на каждом туре был полон, но на конкурсе аплодировать было запрещено, и только шум после каждого выступления и редкие хлопки, тут же гаснувшие от властного предупреждения председателя жюри, говорили об успехе того или иного претендента. Победителями стали «Дружба» с Эдитой Пьехой, певец Лев Карабанов, поразивший жюри невиданным доселе номером, в котором певец, увешанный инструментами, в сомбреро, был сам себе солистом, оркестром и дирижером. Лауреатом стал Эдуард Хиль (вторая премия), часто выступавший в Москве. А вот Майя...

Она получила третью премию и стала дипломантом. Почему не лауреат, никто не знает. Правда, кто-то из жюри объяснил – слишком близко стояла к микрофону. Только ли поэтому?

Она восприняла это как провал. Провал, бесспорно. Очередной и незапланированный. Он встал в один ряд с увольнением от Лундстрема. Тогда все было списано на откуда-то взявшееся сокращение. Теперь – у микрофона стояла слишком близко... Жюри строгое? Что ж, так и должно быть, на то оно и жюри. Кого винить? Невезение, нечто фатальное? Нет, винить можно только себя. И все же обидно...

Выйдя из театра после вручения диплома, после заключительного концерта, в котором по традиции выступали только лауреаты и дипломанты (в эстраде тоже существуют «показательные выступления», как и в фигурном катании, которое смотрит по телевидению вся страна), она все же не удержалась и, сидя в машине, расплакалась.

Майя теперь часто плакала – сказывалась болезнь, то постоянное напряжение, в котором она жила. Его, скорее, можно было назвать страхом.

Спустя несколько месяцев Майя плакала, сидя на трибуне Дворца спорта в Лужниках. Ее пригласил в Московский мюзик-холл сам Александр Павлович Конников – главный режиссер, там можно было, не участвуя в гастролях, выступать с двумя-тремя песнями в представлениях, талантливо срежиссированных Конниковым.

И кто только не работал в этих представлениях, где песни были просто вставными номерами! И кто только не пел в этих представлениях, от певцов известных до новичков. Обстановка на репетициях и за кулисами была самой доброй, как будто собиралась родня, а участников-то – не менее сотни. Душой же был Александр Павлович, вот как-то умел этот человек объединить людей, казалось, необъединяемых: пришел на спектакль, спел или сыграл свое – и ты свободен, приходи в следующий раз, тебя здесь всегда ждут и всегда тебе рады.

В общем, всегда было в радость выступать у Александра Павловича, в том числе и Майе, которую Конников, большой знаток эстрады и ее людей, возвел в ранг одной из лучших певиц, которых ему доводилось слышать.

Но случилось так, что на просмотр одной из программ, которая должна была выйти на массовую аудиторию – в Лужники, приехала целая комиссия из Министерства культуры. Зачем? Чтобы отобрать номера. На концерте должны были присутствовать важные особы. И после просмотра объявили Кристалинской, что в этот вечер она свободна.

Рыдая, Майя сидела на одной из трибун вдалеке от ожидающих выступления артистов. К ней подлетела Элла Ольховская, Майя, вытирая слезы, вдруг изменила своей обычной сдержанности. Ей нужно было выговориться. Сквозь рыдания Элла разобрала слова: «Им что, нужна моя смерть?» Это вырвалось с таким отчаянием, что сердце у Ольховской вздрогнуло.

И тогда же произошла трагедия с обаятельнейшей певицей, ленинградкой Лидией Клемент, которая вместе с Александром Колкером и группой поэтов, выступавших под псевдонимом «Гинряры», создала шедевр – песню «Карелия»:

> _Долго будет Карелия сниться,_
> _Будут сниться с этих пор_
> _Остроконечных елей ресницы_
> _Над голубыми глазами озер._

Лида сорвала родинку на ноге. Спустя три месяца ее не стало...

Узнав об этом, Майя рыдала безутешно. В тот вечер у нее были концерты. Тряслись руки, подкашивались ноги. Она не могла петь. Вера Малышева, ассистент режиссера Столбова в «Добром утре», помнит этот день. Майя сидела в дальнем холле длинного коридора в здании радио на Пятницкой и горько плакала. Вера увидела ее, проходя из аппаратной. Она поняла все. Майя примеряла судьбу Лидии Клемент на себя. Страх навсегда поселился в ней, и особенно сильным был в первые годы болезни. Позднее страх стал слабее, она привыкла к сознанию того, какая участь ее ждет... Так и жила – еще двадцать четыре года.

2. «Театр Майи Кристалинской»

Она уже не чувствовала себя скромной девочкой из самодеятельности, певицей с высшим техническим образованием. К середине шестидесятых, несмотря на порой незаслуженные, но все же беспощадные для ее хрупкого самолюбия удары, она уже понимала, что заняла на эстраде определенное, заметное место и даже более – обрела известность, и не Золушка она теперь – пройдет немного времени, и может стать принцессой, звездой из крупных, судя по тому вниманию, которым окружена. Те близкие, кто был рядом, смотрели на нее уже по-другому: в их глазах она уже была звездой, а слезы – что ж, это невидимые миру слезы. Однажды Владимир Григорьевич Кристалинский зашел в Москонцерт по каким-то своим делам. Почти слепой, ориентировался он плохо и, увидев перед собой контуры невысокого, как и он, пожилого человека с хорошо знакомым голосом, хотел спросить, куда ему направиться, но как-то застеснялся и только пробормотал: «Здравствуйте, я папа Майи». И услышал обескураживший его окончательно ответ: «Здравствуйте, а я – папа Лены». Это был Лев Борисович Миров, знаменитый «разговорник», блестящий «простак» в паре с Марком Новицким. Трудно сказать, съязвил ли, по своему обыкновению, Лев Борисович или по-доброму пошутил, но Кристалинский тут же смущенно удалился. Узнав об этой неожиданной репризе Мирова, Майя только ласково пожурила отца. (Случилось так, что Владимир Григорьевич покинул семью и переехал к тихой, скромной библиотекарше, вскоре смертельно заболевшей. Трудно сказать, что послужило причиной его ухода, возможно, как считают в таких случаях, «несходство характеров» с Валентиной Яковлевной, человеком очень прямым, а потому иной раз и жестким. Валентина Яковлевна приняла удар мужественно, своих переживаний по этому поводу никому не показывала – она умела носить обиду в себе. Но произошло то, что не так уж часто случается после разводов, – она по-прежнему боготворила своего талантливого мужа, теперь уже бывшего, всегда ждала его, и он приходил к ней и дочерям, может быть, и не так часто, но праздников не пропускал.) О Майе писали теперь часто. Она старалась не вспоминать о провале на конкурсе, но ей об этом напомнили, и не из желания разбередить рану, а как бы извиняясь за слепоту жюри. Версия с микрофоном подтвердилась и даже приобрела огласку.

«Публика не знает, читатели не ведают, что в кругах эстрады микрофон у певцов, и особенно у певиц, – проблема едва ли не номер один. Предмет споров. Источник драм. Можно или нельзя? Достижение радиотехники или что-то подозрительное и вообще “не наше”? Вроде бы можно, но... А не приведет ли это к тому, что наши советские певцы перестанут петь во весь голос? Идет дискуссия.

Но, в общем, на месткоме не прорабатывают, не увольняют. Поэтому многие певцы пользуются микрофоном.

Такой певиц, как Майя Кристалинская, микрофон необходим. Не потому, что у нее слабый голос (хотя он, кажется, действительно слабый). А потому, что она поет не для всех. Она поет для каждого. Это разные вещи, и разницу эту можно подчеркнуть с помощью микрофона при любой силе голоса. Микрофон усиливает не голос, а интонацию, уточняет ее и утончает.

“Театр” Майи Кристалинской удивительно скромен. К тому же он как раз и есть театр переживаний. Представлять Кристалинская не хочет, а может быть, и не умеет. Популярные микрофонные певицы, делающие ставку на срепетированный шик и проверенную искрометность, тускнеют рядом с этой обезоруживающей простотой и искренностью. Задушевными хотят быть все, но для этого надо иметь что-нибудь за душой. Плюс, конечно, саму душу» (Асаркан А. Показательные выступления; Театр. 1963. № 5).

А по поводу слабости ее голоса, которую подмечает автор этой статьи, можно только заметить, что сила голоса на эстраде – вещь относительная. Микрофон нивелирует все.

Вот такой случай (а у эстрадных вокалистов подобное бывает нередко) произошел на глазах у Ирины Подошьян. Шел концерт в клубе фабрики «Буревестник», в нем участвовали Подошьян и Кристалинская. Майя подошла к микрофону (она уже была больна), как вспоминает Ирина Аветисовна, и в это время отключили микрофон. И что же? Майя прекрасно спела без него. Конечно, все не так просто – многое зависит и от величины зала, его акустики, но «слабый голос» Кристалинской несопоставим с теми голосами, которые мы слышим сегодня на эстраде и по телевидению.

Слова «театр Майи Кристалинской» уже носились в воздухе. Очередным этапом его становления стала ее поездка вместе с Марком Бернесом в Польшу. Майя увидела вблизи «театр Бернеса». Они ехали поездом, оба немногословные, говорили в основном о гастролях. Майя внимательно слушала – Бернес советов никаких не давал, рассказывал о съемках в кино, о планах. Решили – первое отделение поет Майя, второе – Марк Наумович.

В Варшаве они выступили в Доме науки и техники. Концерт прошел с аншлагом, все шли «на Бернеса», о Майе в Варшаве и понятия не имели, но с каждым концертом к ней относились все теплее и теплее. Они выступали в Катовицах, Домброве, Сосновце – успех был полный, а если учесть, что их сопровождал великолепный ансамбль музыкантов во главе с талантливым пианистом и дирижером Владимиром Терлецким, к тому же свободно говорившим на нескольких языках, то неудивительно, что группу из Советского Союза принимали на ура, Конечно же, тон всему задавал Бернес, на обратном пути шутливо подводивший итоги: «Обе стороны выслушали друг друга внимательно и пришли к полному взаимопониманию». У Бернеса она училась не только «делать» песню, вслушивалась, стоя за кулисами, в каждое его слово, понимая при этом, что многое получается и у нее самой. Бернес, несмотря на разницу в возрасте и ранг мэтра, разговаривал с Майей как с равной. Она же, зная о его неровном, несговорчивом, трудном характере, старалась не докучать ему лишними разговорами и с удивлением замечала, что он очень прост и внимателен в общении с ней. Она училась его общению с залом, понимала, насколько это необходимо: уже начались сольные концерты, которые Майя пела во время самостоятельных гастролей по стране.

Она вела свои концерты непринужденно, по-домашнему. Разговаривала с залом – предлагала вспомнить автора той или иной песни, которые пела, меняла заранее заготовленную программу, спрашивала у зала, какую песню спеть, – на сцену неслось название песни из ее репертуара, и Майя тотчас исполняла ее.

В адрес журнала «Советская эстрада и цирк» однажды пришло письмо из Румынии. В конверте оказались не просто стихи, а целая поэма. Автором ее был поэт Марин Янку, и поэма была посвящена Кристалинской. Называлась она «Пой, Майя». Румын оказался не случайным поклонником – поэт уже много лет был прикован к постели после тяжелой болезни. Радио для него оставалось единственным окном в мир, и в этом окне он заметил Майю, ее песни, поразившие его. Теперь он каждый день ждал свидания с ее голосом и именно об этом просил певицу в поэме «Пой, Майя».

Осенью шестьдесят пятого грянул песенный бал в Театре эстрады. Он в отличие от великосветских балов, канувших в прошлое, продолжался десять дней – случай беспрецедентный в истории не только Театра эстрады, но и всей эстрады в целом. Бал этот носил название «Фестиваль советской эстрадной песни». Аншлаг был полный, что стало ясно уже за несколько дней до открытия. И это притом что не было на «балу» по болезни ни Утесова, ни Сикоры.

Конечно же, главным действующим лицом была Клавдия Ивановна Шульженко.

Она выступила с хорошо подготовленной программой. Таких оваций зал театра давно уж не слышал. Но главной песней в ее программе был не «Синий платочек», не «Руки», не «Старые письма», а другая, недавно появившаяся песня – «Вальс о вальсе» Колмановского и Евтушенко. Сегодня, когда вспоминается Клавдия Ивановна, непременно вспоминается и ее «Вальс о вальсе».

Вальс устарел,
Говорит кое-кто, смеясь.
Век усмотрел
В нем отсталость и старость.
Робок, несмел,
Наплывает мой первый вальс...
Почему не могу
Я забыть этот вальс?

На фестивале песня «Вальс о вальсе» оказалась главной, была в центре внимания, и не только зала, но прежде всего исполнительниц. Ее пели если не все, то многие. Мало того, пели, не имея в программе.

На одном из вечеров песня исполнялась трижды – тремя певицами, выступавшими друг за дружкой. Зал реагировал веселым смехом.

Смеялся зал и в тот вечер, когда на сцене Ирина Бржевская объявила «Вальс о вальсе». Для публики это было полной неожиданностью, в программе этой песни не было. Ну, Бржевская песню все-таки спела, как бы вступая в соревнование с коллегами, хотя победитель уже давно был всем известен – Шульженко. Бржевская тем не менее спела хорошо и, если бы на фестивале был объявлен конкурс, исполнительница «Вальса о вальсе» заняла бы в нем высокое место. Но...

Эта же песня была вписана, а затем и напечатана в программе Майи Кристалинской, выступавшей в тот же вечер следом за Бржевской. И зал об этом знал. И вот когда очередь дошла до «Вальса о вальсе», Майя, подумав немного, вдруг сказала, что эту песню она петь не будет. Ответом ей стали аплодисменты.

Но «Вальс о вальсе» Кристалинская все же спела – по просьбе зала, когда закончила свою программу, отпела «бисы», а ее все не хотели отпускать со сцены. У музыкантов ансамбля остались ноты только «Вальса о вальсе», и Майя все же решила эту песню спеть. И спела – так, что не стыдно было перед Клавдией Ивановной. Но «откупиться» от бушующего зала ей не удалось, от нее требовали еще песню, еще и еще. Но петь уже было нечего.

Потом Майя жалела, что пошла на поводу у зала и спела «Вальс о вальсе». И дело даже не в том, что в одном из журналов некий критик упрекнул ее в «неустойчивости», уступке шаблонным представлениям об «эстрадности». Мол, если уж сказала «нет, петь эту песню не буду», вызвав аплодисменты – одобрение, значит, нужно было стоять на своем. Нет, дело не в критике. Были и другие оценки. В другом журнале, очень солидном, ее удостоили похвалы, хотя и не без критической нотки. Майя не была тщеславна, хотя кто ж спорит: похвалу читать приятнее. Доброе слово, говорят, и кошке приятно, а уж артисту... И все же любую критику она принимала всерьез.

«Самобытно и творчество Майи Кристалинской. Стоит только объявить ее выход – и зал буквально взрывается аплодисментами. Действительно, столько душевного тепла несет актриса своим исполнением, что каждому нетрудно почувствовать – она поет только для него одного и только о нем. В мире ее песен царит атмосфера студенческого демократизма. Рамка сцены никогда не мешает актрисе ощутить себя плечом к плечу с сидящими в зале. Своей простотой, кажется без труда достижимой, она у многих рождает стремление петь "под Кристалинскую". Не удается. И тем более обидно желание артистки приблизиться внешне к облику, эстрадной "дивы". Ее кокетливое заигрывание со зрителем тем самым отдаляет ее от нас...»

Кокетливое заигрывание? Нет, она не согласна. Кокетство ей вообще чуждо, а уж со зрителем тем более. Но надо присмотреться к себе. Надо проверить.

3. «Опустела без тебя Земля...»

Я смотрю запись творческого вечера Александры Пахмутовой и Николая Добронравова и лишний раз убеждаюсь, что Пахмутова всегда остается Пахмутовой, какое бы время ни было на дворе; пусть сегодня «неактуальны» ее «И вновь продолжается бой», «Любовь, комсомол и весна», «Комсомольский секретарь» (ее пела и Кристалинская), «Я – комсомол!», «Не расстанусь с комсомолом», все равно – не из ушедшего времени эти авторы. Они на песенной эстраде – явление многомерное и, я бы сказал, уникальное. Сколько же у них песен, которые миновали временной рубеж и остались с нами! Нет комсомола, но разве не поют сегодня «Главное, ребята»; сборная России по хоккею проваливается на мировых чемпионатах, но разве хуже от этого песня «Трус не играет в хоккей»? Нет былой славы советской космонавтики, но разве можно забыть Юрия Гуляева, самозабвенно певшего «Знаете, каким он парнем был»? А лиричнейшую

Александра Пахмутова,
Николай Добронравов

из лиричных – «Письмо на Усть-Илим», которую пела когда то Майя Кристалинская? И всегда комок к горлу подкатывает, когда я слышу мою любимую «Как молоды мы были...».

И наконец, песня, которая всегда, всех и каждого приводит в трепет, – «Опустела без тебя Земля, как мне несколько часов прожить, так же падает в садах листва и куда-то все спешат такси...» Песня Кристалинской, которой уже нет. Будет ли эта песня в концерте? Должна же быть.

Ее поет Тамара Гвердцители, и прекрасно поет. Сильно, драматично, мастерски. На сцене не певица – актриса. Многовато выплеснутой страсти – но можно и так. Тамара уходит со сцены, а песня продолжает звучать. Но – голосом Кристалинской...

Добронравов. Один из первых телефильмов, посвященных песням Пахмутовой, сделала Лидия Пекур (режиссер творческого объединения «Экран» Центрального телевидения, где снимались телефильмы и отдельные концертные номера. – *А. Г.*). Она сняла несколько песен очень любопытным приемом – лицо крупным планом, со лба до половины подбородка. Так были сняты артисты, и вот в этом фильме впервые телезритель увидел, кто есть кто. Он увидел глаза Майи, эти полные невыразимой драматической силы и такой глубины! Говорят, глаза – зеркало души, и я не знаю другого человека, у которого глаза вот так выражали бы душу, как у Майи.

И с этого фильма я понял, что такое ТВ. Это не кино, здесь должен быть крупный план и должна быть личность на экране. Вот такой личностью для нас и стала Майя.

Из всех премьер наших песен, которые пела Майя, самой главной была «Нежность».

Это было в декабре шестьдесят пятого года, в Колонном зале, с оркестром Юрия Васильевича Силантьева. Александры Николаевны на концерте не было, она была в служебной командировке от Союза композиторов в Японии. Майя, перед тем как спеть эту песню, сказала несколько слов – что она волнуется, потому что песня ей очень нравится, жаль, что автора на концерте нет... Майя хотела как-то подогреть интерес к песне.

И надо сказать, когда она спела, зал эту песню принял, но не так, как удачную премьеру или будущий шлягер, не было абсолютно никакого успеха, были хлопки. Это было в первом отделении, до этого Майя уже пела, среди номеров был «Аист» Островского («Ах, здравствуй, аист! Мы наконец тебя дождались. Спасибо, аист, спасибо, птица, – так и должно было случиться». – *А. Г.*), и я прекрасно помню, как в перерыве подбежал к нам замечательный композитор, очень любящий нас Аркадий Ильич Островский и сказал: «Ну что ты пишешь, ну кому это нужно, этот твой Экзюпери. У меня вот "Аист" – ты видишь, что делалось в зале? Каждая женщина хочет, чтобы у нее был ребенок, она ждет этого, а ты – о каком-то Экзюпери...»

Пахмутова. И за что мы благодарны Майе – после сдержанного приема она настолько была уверена в этой песне, что стала петь ее в каждом концерте, стала ее «раскручивать», как нынче говорят. Так далеко не все исполнители поступают. И как она сама была счастлива – звонит, говорит: «Знаешь, как принимали сегодня "Нежность"? Меня теперь не отпускают со сцены». Это был героический поступок в то время.

Добронравов. Вообще у нас немало песен, которые запрещали. Когда записывали «Нежность» в Доме звукозаписи, меня отводили в коридор и говорили: «Коля, ну зачем тебе этот Экзюпери? Что, своих летчиков у нас нет? Ведь был замечательный летчик-испытатель Бахчиванджи, и даже по размеру его фамилия ложится. Убери ты этого иностранца из песни...» И я пытался объяснить. Тогда у нас были уже какие-то имена, дело до прямого запрещения не дошло, но сколько мне пришлось отстаивать этого Экзюпери! Мне важен не сам летчик, а человек, который глазами поэта смотрел оттуда на Землю, Вселенную, мне нужен был поэт, хотя он прозаик. Поэтому эта песня трудно проходила и на радио ...

Пахмутова. Я была немножко хитрой, я понимала, что не нужно в каких-то случаях идти на прямой худсовет, когда сидят люди и слушают. Она в первый раз прошла в какой-то передаче, скорее всего, на радиостанции «Юность», в которой работал тогда наш друг Борис Абакумов, он был одним из основателей этой станции...

Добронравов. Она записала эту песню, записала хорошо, хотя Александра Николаевна считает, что это не совсем так...

Пахмутова. Но лучше и не было...

Добронравов. Я считаю, что это ее героический подвиг, ведь она сумела убедить, что это за песня. А потом было уже легко. Ее пели знаменитые артисты, из Большого театра – Тамара Синявская и Галина Калинина, пели Людмила Зыкина, Людмила Сенчина, Тамара Гвердцители, Фрида Боккара во Франции, пели немецкие исполнители... Когда Аля спросила в Германии – это еще было до перестройки – знаменитого, крупнейшего их издателя Сикорского, что нужно, чтобы наша советская песня вышла в Европу, он ответил: «Вам лично ничего не нужно, напишите еще одну "Нежность". У нас ее пели все...»

После фильма «Девчата» Майя с Иосифом записали песню «Старый клен», потом – «Девчонки танцуют на палубе». А я хочу остановиться на песне «Письмо на Усть-Илим», это одна из самых наших любимых песен. Самое лучшее ее исполнение было у Майи.

А история у этой песни такая.

К нам приехали ребята из Братска, которых мы хорошо знали, они и сказали: «Вы знаете, мы построили Братскую ГЭС, дальше мы должны строить Усть-Илимскую ГЭС, но денег, как всегда, у правительства нет. Помогите нам. Напишите какое-нибудь произведение, – просили ребята, – где есть слово "Усть-Илим", пусть страна знает, что есть такое, что вот мы боремся за то, чтобы построить, упомяните где-нибудь...»

И вот мы выполнили этот социальный заказ. Нам вот сейчас говорят – вот вы, такие-сякие, писали по социальному заказу. Да, писали, вот так мы, например, написали прощальную песню Олимпиады, это тоже был социальный заказ.

– Как пришла мысль написать «Нежность»?

Добронравов. Это было какое-то наитие, импульс.

Пахмутова. Такое было время. Первые полеты в космос, мы встречались с космонавтами, подружились с летчиками, мы знали жен летчиков-испытателей, которые говорили нам в Жуковском: «Вот из этого подъезда только я одна с мужем, остальные – вдовы».

Добронравов. Как говорил Сент-Экзюпери, «летчик улетает и не возвращается». Мы были этим увлечены, мы знали не только Гагарина, но и Валентину Ивановну Терешкову, мы знали практически всех жен, эта тема для нас была волнующая; у нас есть одна очень популярная песня «Усталая подлодка» – «...тебе известно лишь одной, когда усталая подлодка из глубины идет домой».

С «Нежностью» связано вот еще что. Это было 2 мая 1967 года. Мы с Алей были в гостях у летчика-испытателя Георгия Константиновича Мосолова, был день его рождения. Был Ян Абрамович Френкель с женой, он показывал песню «Журавли», ее еще никто не знал и даже Бернес еще не пел. Так вот, в этот день позвонил Юрий Алексеевич Гагарин, поздравил Мосолова, а потом сказал: «Позови Алю». Аля взяла трубку. «Знаешь, Володя Комаров перед полетом просил передать тебе благодарность за песню "Нежность"».

Актеры – это великие люди, у них один инструмент – собственная Душа, собственное сердце и собственные нервы.

Я вспоминаю рассказ Чермена Касаева о записи «Нежности» для музыкальной редакции радио: «В песне есть мужской подпев, идет вокализом, и в студию Аля взяла меня и Анатолия Горохова (запись шла для нашей передачи "До-ре-ми"). Мы вдвоем подпевали этот вокализ. Горохов по профессии певец (добавлю – и еще автор текстов очень популярных в шестидесятых песен "Королева красоты", "Дельфины", "Солнцем опьяненный", работал тогда редактором музыкальной редакции. – *А. Г.*), но что меня поразило: Майю так задело, и когда мы записали и пошли слушать в аппаратную, она сидела и слушала молча – в этом отношении она была сдержанный человек. И вот она сидела, облокотившись, поддерживая голову, и у нес из глаз капали слезы. Вот как росинки на траве, когда на солнце блестят. Она меня поразила своей чистотой и какой-то скрытой эмоциональностью, сдержанной, но кипящей в душе».

А как Майя произносила слово «нежность». Конечно, эта песня – высокое искусство, выше не бывает. Я бы из «золотого фонда» тех лет назвал Клавдию Ивановну с «Тремя вальсами», Бернеса с «Журавлями» и Майю с «Нежностью».

Из интервью Майи Кристалинской (газете «Московский комсомолец»): «Если вы спросите меня, какую идеальную песню мне хотелось бы спеть, я отвечу: такую, как "Нежность". Эта песня – своеобразный перелом в творчестве Александры Пахмутовой. Я бы сказала – качественный перелом. Глубина, затаенность и сдержанность. Великолепная оркестровка, которая сама по себе произведение искусства, даже звучащая без вокальной картины, она будет всегда волновать. Советская песня идет несколькими направлениями. Мне ближе всего путь Александры Пахмутовой. Ближе своей искренностью, доходчивостью и каким-то русским началом. Это не значит, что я против более сложных направлений в песне, против поисков.

Вот недавно я услышала 2-й фортепианный концерт Родиона Щедрина. Он мне очень понравился соединением классичности с какой-то джазовой изломанностью ритма. Сложное, даже перенасыщенное современное искусство увлекательно. Но Пахмутова ближе мне. Пахмутова – это Русь. Она и объездила всю Россию по своей инициативе с концертами. Она настолько органично слилась со своими песнями, что разлить их невозможно...» (29 ноября 1967 года).

В конце 1966 года набравшее силу телевидение сделало то, что не осмеливалось делать раньше, – оно обратилось к телезрителям с предложением назвать лучшего исполнителя года.

Ответы не заставили себя долго ждать: Майя Кристалинская.

Глава тринадцатая

ДЕРЕВЬЯ УМИРАЮТ СТОЯ

1. «...И счастья в личной жизни»

В конце шестидесятых годов возле метро «Щербаковская» часто можно было встретить Майю Кристалинскую, идущую в сопровождении статного, среднего роста человека лет сорока пяти, с красивыми чертами лица, который внешностью своей и уверенной походкой напоминал сенатора – конечно же американского, своих у нас тогда еще не было, да и появившись, столь респектабельно они не выглядят. Майя Кристалинская шла рядом со своим мужем Эдуардом Максимовичем Барклаем.

Никакого отношения Эдик Барклай, как его сразу стали называть друзья Майи, едва он появился – и весьма кстати – в ее жизни, к русскому полководцу времен Отечественной войны 1812 года генерал-фельдмаршалу Барклаю-де-Толли не имел. У его отца, Максима Борисовича, фамилия была другая, но он широко пользовался

Эдуард Максимович Барклай. 1960-е

псевдонимом, который взял себе, а причин на то было две. Первая – Максим Борисович был в двадцатых годах заместителем начальника Московского уголовного розыска, ведал борьбой с бандитизмом и, вполне возможно, проводил операции, где собственную фамилию необходимо было скрывать. Второе – он слыл не только высококлассным специалистом в своем деле, но и способным музыкантом –

играл на нескольких струнных инструментах, а главное – хорошо пел и, выступая в концертах (видимо, самодеятельных), имел большой успех. Псевдоним и здесь высокопоставленному муровцу был необходим. И он появился, став затем фамилией – Барклай.

Его старший сын Эдуард не унаследовал отцовской музыкальности, но был предан другой разновидности искусства – того, что не уносило в заоблачные выси, как музыка, а накрепко приковывала к земле. Это была «архитектура малых форм», как он сам определил на визитной карточке освоенную им профессию.

В последний год войны Эдуард Барклай окончил летное училище, но на фронт уже не попал и вместо самолетов водил автомашину, в которой рядом с ним восседал генерал, а после демобилизации, как и многие его сверстники с задетыми войной судьбами, начал строить свою жизнь заново. Перед ним встал обычный для русского интеллигента, да еще без профессии, вопрос: «Что делать?»

И здесь на помощь пришло одно его сильное увлечение еще с довоенной поры – рисование. Художником он себя не считал, но мог набросать портрет, эскиз, пейзаж, где обнаруживал наблюдательный глаз и неплохую технику. К тому же вкусом Барклай обделен не был – и вот он становится оформителем музеев и выставок. Заказчики оставались довольными его работой, сам он считал это делом несложным и решил двигаться дальше, идти по стезе, более близкой к изобразительному искусству.

И по подсказке кого-то из московских художников, с которыми он теперь много общался, принялся за создание памятников – вот эту самую «архитектуру малых форм», где рядом со скульптором, привлекающим к себе главное внимание, должен быть и архитектор – он делает планировку и постамент.

В конце сороковых он принял участие в работе ответственной и серьезной. В Кисловодске создавался монумент одному из самых честных большевиков из окружения Сталина, поплатившемуся за свою честность жизнью во время разгула сталинских репрессий, – Серго Орджоникидзе. Скульптором был маститый ваятель Григорий Константинович Нерода, а начинающий «зодчий» малых форм Барклай помогал в планировке вместе с прибывшим из Москвы опытным архитектором. Там же, в Кисловодске, появился и музей Орджоникидзе, и Барклаю было доверено его оформление, которое он выполнил, что называется, на высоком художественном уровне.

И тогда же, в кисловодском музее, Эдуард Барклай, которому исполнилось в тот год двадцать четыре, познакомился с дочерью Григория Константиновича, миловидной, по-грузински скромной девушкой Этери. Через некоторое время она стала его женой. (Брак этот особо счастливым назвать нельзя, он был недолгим – как объяснила Этери Григорьевна, «у нас были очень разные характеры».) Они жили в печально известном «Доме на набережной», где селилась только партийно-государственная элита. Теперь же здесь обитали лишь счастливые семьи, не тронутые в тридцатых арестами. В доме Этери Эдик познакомился с подругами жены – двумя Светланами, Аллилуевой и Молотовой, и Майей Каганович. Чьими дочерьми они были, я думаю, пояснять не стоит.

Человек остроумный, обаятельный и к тому же неунывающий, веселый, что было особенно важно в мрачную концовку сороковых (и прежде всего для Светланы Молотовой, мать которой Полина Жемчужина была сослана в Сибирь по обвинению в связи с «сионистами»), Эдуард, попав в этот неожиданный для себя круг, обрастал новыми, громкими знакомствами.

Среди этих знакомых – это было уже позднее, после развода с Этери, – оказался знаменитый хирург, был он значительно старше Барклая и относился к нему по-отечески тепло и по-человечески дружелюбно. Несмотря на разницу в возрасте, да и положении – Александр Александрович Вишневский был главным хирургом Советской армии, директором Института хирургии имени своего отца, генералом, – отношения между ними были просты, доверительны, старший относился к младшему с нескрываемым интересом и, судя по всему, дружбой с ним дорожил. Барклая часто можно было видеть не только у директора института в кабинете, но и вместе с ним на футболе, в Лужниках или на «Динамо», и у него дома, где бывал он часто и где приязнь хозяина к Эдуарду передалась его детям, тоже хирургам, Маше и Саше.

(В семье Вишневских, где старшими сегодня стали наследники славы выдающихся хирургов, деда и отца, Мария Александровна и Александр Александрович-второй, Барклая знали не только как интересного, запоминающегося после первого же знакомства человека, но и как архитектора в деле. Именно Барклай, а не кто-нибудь другой, стал автором двух печальных памятников-надгробий, сначала Лидии Александровны Петропавловской, а затем и Александра

Александровича Вишневского на Новодевичьем кладбище. У входа в Институт хирургии на Серпуховке установлена мемориальная доска, посвященная Александру Александровичу, барельеф на ней лепил сам Барклай по фотографии Вишневского.)

В доме Вишневских Эдуард Барклай и познакомился с Майей Кристалинской.

Майя была в тот вечер у Вишневских не как пациентка, ее не приглашали и как знаменитость – ее тетя Лиля была близкой приятельницей жены Александра Александровича – Лидии Александровны Петропавловской, тоже актрисы театра имени Станиславского и Немировича-Данченко.

Был какой-то званый вечер у Вишневских, собрались гости и в ожидании приглашения к столу мило болтали в разных комнатах, Майя была в их числе, но сидела молча, да и чувствовала себя в этот день не лучшим образом. Ей хотелось побыть одной, она вышла в комнату, где никого не было, и подошла к окну. И не заметила, как туда вошел крепкий с виду человек в ладно сидящем костюме, с сияющей улыбкой. Это был Эдуард Барклай, его с Майей в самом начале вечера познакомила Лидия Александровна. Несколько ничего не значивших обычных при знакомстве фраз стали прологом к тем долгим годам совместной жизни, которые, как оказалось, их поджидали.

Домой после ужина Майя и Эдуард уехали вместе, он предложил подвезти ее, взял такси, по дороге много шутил, балагурил, искоса поглядывая на тихо сидевшую и тепло улыбавшуюся ему Майю. Он не раз видел ее на телеэкране, был наслышан о ее нездоровье от Вишневского, но – не отшатнулся, не перевел эту встречу в обычный флирт, а виделся с ней почти ежедневно, бывал на концертах, где она выступала, и провожал затем домой с непременным букетом роз, осыпая комплиментами по поводу ее выступления, но подчас и делая небольшие, но очень точные замечания. Забегая вперед, отмечу, что именно благодаря Барклаю (не сразу, а через несколько лет) началась «перестройка» Майиного имиджа: исчезли костюмы, на сцену она стала выходить в платьях, без косынки, но с высоким воротником. Эдуард Максимович сам следил за выбором фасона, цвета, ткани, вкус художника его никогда не подводил, и платья Кристалинской всегда ей были к лицу, милому и на редкость обаятельному.

А через некоторое время Майя переехала к Барклаю в его однокомнатную квартиру на Велозаводской.

Свои отношения, говоря протокольным языком, они оформили не сразу, а убедившись в прочности этих самых отношений. К тому же оба были не первой молодости и обоих тянуло к своему очагу, а стало быть – своей, пусть малочисленной, состоящей всего из двух человек, семье. Увеличиться же она не могла – детей из-за болезни Майя иметь не могла.

Очаг этот вскоре изменил свой адрес и обрел черты уютного, со вкусом обставленного дома – кооперативной квартиры на проспекте Мира, возле метро «Щербаковская», построенной ее владельцем и хозяином Эдуардом Максимовичем Барклаем. А что касается вкуса – у художника он остается величиной постоянной и к худшему не меняется.

Эдуард Барклай оказался мастером не только создания очага, но и поддержания огня в нем.

Сказать, что он был человеком компанейским, значит ничего не сказать. Натура широкая, он любил встречаться с друзьями, предпочитая не тихую беседу у торшера, а многолюдное застолье, притом со спиртным, однако меру в потреблении алкоголя знал и грань ее никогда не переходил. И было в нем еще одно достоинство – назовем его талантом. Эдуард Максимович был отменным кулинаром.

Принимая у себя друзей, он не скупился на деликатесы, и не столько из магазинов (как известно, в те времена для этого нужны были связи и проторенный «черный ход»), сколько готовил их самолично. Талантом кулинара он обладал в полной мере. На кухне творил чудеса, потрясал гостей своим искусством, вершиной которого был плов. Умение приготовить плов имело свои корни, уходящие в узбекскую землю. Барклай долгое время был связан работой с Узбекистаном. Первая его поездка – вернее, приглашение, просьба оказать помощь – была в то время, когда Ташкент поднимался на ноги после землетрясения, – год 1966-й. Мастерство Барклая – архитектора «малых форм» нашло здесь применение и оставило след в одном из районов Ташкента, где был установлен памятник воинам из Узбекистана, павшим во время войны. Стела, увенчанная фигурой женщины-матери с голубем в руках. На стеле – барельефы воинов и доски с именами погибших. За работой следил сам Шараф Рашидов, первый секретарь ЦК Компартии Узбекистана.

А дальше последовали поездки в другие города республики, которые нуждались в таком специалисте, как Барклай, бесконечные перелеты Москва–Ташкент–Москва; Барклай работал на благо Узбекистана

много, и Рашидов оценил его труд, присвоив звание заслуженного дея-
теля искусств Узбекской ССР.

Эдуард Максимович, человек необычайно отзывчивый, прояв-
лявший и здесь широту, готовый всегда прийти на помощь человеку
даже малознакомому, о Майе заботился особо. Он следил за приемом
Майей препаратов, назначенных врачами, за ее питанием, стараясь
разнообразить его и сделать вкуснее. «Что она делает, – жаловался
он Котелкиной. – Ей же нельзя худеть, а она почти ничего не ест!» Он
мрачнел, и ссоры были неизбежны. Размолвки у них случались часто,
и не только из-за лекарств или придуманной Майей диеты. Семейная
жизнь, если перефразировать классика, не тротуар Невского проспек-
та, всякое бывает. И тогда Майя уходила к Марии Борисовне Мульяш,
могла остаться у нее ночевать и даже прожить несколько дней, но все
заканчивалось миром – и они снова были вместе, и снова продолжалась эта беспокойная, но не лишенная ярких впечатлений жизнь.

По утрам он садился за письменный стол, что-то рисовал, чертил,
потом вел долгие переговоры по телефону, потом исчезал, чтобы вернуться к вечеру и, прихватив Майю, если она бывала свободна, заехать
к кому-нибудь в гости или пойти в театр, на концерт и бог знает куда
еще, лишь бы не тяготиться скукой.

А Майе отдых был необходим. При всей легкости ее натуры, при желании жить интересной жизнью, несмотря на болезнь, к вечеру тяжко
наваливалась усталость. Она приезжала домой, недолго болтала с кем-
нибудь из подруг по телефону, доставала книгу из их довольно большой библиотеки и усаживалась с нею в кресло. Это были часы, когда
жизнь вокруг замирала, для Майи оставалась только книга, она даже не
обращала внимания на частые трели телефона.

Может быть, благодаря энергичности, которая бросалась в глаза
любому человеку, только что познакомившемуся с Барклаем, добро-
желательности, исходящей от него (и это при всей его резкости
и независимости), Эдуард Максимович мог показаться человеком
железного здоровья, но на самом деле это было не так и мало кто знал,
что у него началась болезнь, изнурительная и тягучая, но на первых
порах малозаметная, которую можно было обуздать диетой, но нельзя запускать, – диабет. Особого значения Барклай ей не придавал,
его больше волновало состояние Майи, а вот с ней он бывал строг, за

приемом лекарств следил постоянно и, если видел, что Майя их не принимала, разговаривал с ней как с провинившейся девчонкой. Но когда у нее повышалась температура – а она доходила до сорока, когда ее бил озноб, что означало очередное обострение, а на другой день температура падала до тридцати шести, он бывал с ней мягок и заботлив, садился за руль их машины и отвозил к Кассирскому, а когда того не стало – в ту же клинику к Андрею Ивановичу Воробьеву, который стал ее врачом, одному из лучших гематологов Москвы. И когда Воробьев сказал ему, что Майе необходима операция по удалению опухоли на одном из узлов, срочно поехал к Вишневским, и Александр Александрович назначил для операции время, наиболее удобное для Кристалинской.

После операции Майя начала готовиться к очередному сольному концерту в Москве, в Театре эстрады.

Незадолго до концерта Майя вместе с Мусей Мульяш отправилась на премьеру в Театр сатиры. Театр, как известно, один из самых любимых в Москве, каждая его премьера становилась событием, и, уж, конечно, на премьере был не только театральный бомонд, но и те, кто отвечает перед партией и народом за идейный и художественный уровень советской культуры. В зрительном зале Майя увидела министра культуры Екатерину Алексеевну Фурцеву.

Майя уже привыкла, что в театрах, где она бывала, ее узнавали, с ней здоровались, просили автограф, и она охотно раздавала их, не делая вида, что это ей безразлично, надоело и она оказывает снисхождение, ставя свою подпись на театральной программке. И дело не в том, что она бывала польщена вниманием, главное было в другом: не ставить себя выше тех, кто протягивает тебе программку, блокнотик и даже зачетку, как когда-то сделала девушка-студентка в Баку. И ободряюще улыбнуться каждому.

На этот раз ей протянула программку пожилая женщина. Майя открыла сумочку, чтобы достать авторучку, и вдруг услышала громкое: «Майечка, здравствуй!» Майя подняла глаза и увидела проходящую рядом Фурцеву. Она была знакома с министром культуры. Фурцева как-то пригласила ее к себе и попросила написать статью о важности исполнения русской народной музыки, русских песен, а если для Майи это трудно, только подписать уже готовый материал. Но Кристалинская деликатно дала понять, что статью напишет сама, ну а если не получится, тогда... Тогда перепишет, и уж наверняка все будет хорошо. Фурцева осталась довольна, Майя статью написала, и она была напечатана в «Вечерней Москве». Статью Майя написала быстро и легко, переделывать ничего не пришлось, а в газете ее сразу оценили – поющие редко бывают пишущими, за них пишут другие, а Кристалинская – пожалуйста, готовый автор. И в газете время от времени появлялись небольшие заметки с подписью: «Майя Кристалинская».

Фурцева выглядела эффектно – в модном удлиненном голубом костюме, высокая, тонкая, с широко раскрытыми глазами, ресницы подведены голубой тушью, и глаза показались Майе ослепительно голубыми. Поклонница с программкой в руках замерла. Фурцевой уже было за шестьдесят, но перед Майей стояла моложавая привлекательная женщина. Майя поздоровалась, растерянно пожав протянутую руку. «Я тебя давно не видела, Майечка, как твои дела? Тебе что-нибудь нужно?» – «Спасибо, Екатерина Алексеевна, у меня все в порядке, готовлюсь к концерту». – «О да, я видела афишу. Я постараюсь прийти. Так тебе все же что-нибудь нужно?» – повторила Фурцева. «Нет, что вы, спасибо, у меня все в порядке». – «Ну, хорошо. Я за тебя рада. Извини, меня ждут», – просто сказала Фурцева и отошла к стоящей неподалеку небольшой группе людей, почтительно ожидавших министра.

О Фурцевой всегда говорили много, кто-то злословил, кто-то восторгался ею, считал хорошим министром, но Майя видела перед собой женщину – просто женщину, а не министра, у которой, судя по молве, не все было в порядке.

На концерте Екатерина Алексеевна не была. А через два года ее не стало. И понеслась новая молва, сплетенная из правды и вымысла...

2. «Крокодил»

А между тем век начал отсчитывать седьмой десяток, отгремели торжества по поводу 100-летия со дня рождения великого пролетарского вождя, началась в стране верхушечная перетряска, в результате которой такие средства массовой информации, как телевидение и радио, оказались в руках маленького рыжего человечка с крутым нравом и неуважительным отношением к подчиненным. Он, сталинец по натуре, по-сталински же считал других винтиками, а уж закручивать гайки умел.

От него долго содрогались коридоры радио на Пятницкой и улице Качалова, и особенно в Останкино, на телевидении. В коридорах же верховной партийной власти у него была недобрая кличка «крокодил». Новым председателем Гостелерадио стал Сергей Георгиевич Лапин.

Он быстро лишил даже иллюзорных свобод передачи своего ведомства, закрыл многие из тех, без которых ТВ – теперь уже Останкино – сразу же оскудело (например, КВН), введя передачи пропагандистские – один «Ленинский университет миллионов», который смотрели разве что райкомовские лекторы по научному коммунизму, чего стоит. С подчиненными же был не только крут, унижал их, не останавливаясь перед ложью. Но и на него была управа – генсек Брежнев, которого он, однако, выдавал за своего личного друга.

«О том, что "он личный друг Леонида Ильича", мы узнали с первых дней воцарения Лапина, – вспоминала бывший главный редактор музыкального ТВ Н. Григорьянц. "О том, что все программы должны готовиться, ориентируясь на личный вкус Леонида Ильича, догадались не сразу. Но то, что целенаправленно и стремительно начал насаждаться культ товарища Леонида Ильича (вспомни, телезритель прошлых лет, ходившую тогда шутку: "и это все о нем и немного о спорте", она точно определила содержание ТВ при Лапине. – *А. Г.*), разгадать было немудрено. Что же до вкуса Леонида Ильича, то, по-видимому, он был самому Лапину не очень ясен, и потому он часто попадал пальцем в небо...

Однажды, выслушав очередной утренний нагоняй за то, что платье Зыкиной – черный бархат со стеклярусом – было чересчур нарядным и это могло оскорбить "простой народ", жду, что дальше будет. А дальше крик: "Как вы посмели допустить такое?" А нужно сказать, к редакции это не имело отношения. Концерт в Кремлевском Дворце съездов готовило Министерство культуры, а мы его только транслировали. Пытаюсь объяснить, но безнадежно, только усиливаю монарший гнев. Через полчаса – снова звонок. Мне велено явиться немедленно, самолично. В начале рабочего дня ехать из Останкино на Пятницкую (где находилось Гостелерадио и был кабинет его председателя. – *А. Г.*), терять время, выслушивая все то же самое по второму разу! Но делать нечего. Еду. При личной встрече тон бывал чуть спокойнее, а тут, не успел начаться "приятный разговор", звонит кремлевский телефон.

С совершенно изменившимся выражением лица Лапин снимает трубку.

– Слушаю. Доброе утро, Леонид Ильич. – Пауза. – Спасибо, спасибо большое. Я очень рад, что вам понравился концерт! (Абонент, видимо, считает: все, что на телеэкране, это Лапин. – *А. Г.*) Еще раз спасибо! – И уже озабоченно: – А как вам платье Зыкиной? Не слишком ли вызывающе? Нет? – Пауза. – Ха-ха-ха! Не буду, не буду! Спасибо, Леонид Ильич! – И ко мне милостиво: – Леонид Ильич сказал мне: "Ничего. Смотри, не поссорь нас с интеллигенцией". Ха-ха-ха!

Спасибо дорогому Леониду Ильичу, выручил меня».

А по поводу интеллигенции... Надо отдать должное Лапину: он был человеком эрудированным – хорошо знал поэзию, цитировал не только классиков, но и ту же интеллигенцию, которая бывала у него в кабинете (далекая от выходок его хозяина), мог «обаять» и казался каждому известному поэту, артисту, композитору начальником вполне благопристойным.

Сев в кресло председателя и осмотревшись, Сергей Георгиевич понял, что власть его на этом вверенном ему «дорогим Леонидом Ильичом» участке партийных угодий безгранична. И приступил к «зачистке» эфира. Начал с бородачей, с брюк на женщинах, а затем приступил к излюбленной сталинской атаке на инородцев, обратив ее острие на лиц еврейской национальности. Одной из первых ему подвернулась эстрада. На голодный эфирный «паек» были посажены Вадим Мулерман, Эмиль Горовец, Майя Кристалинская, Нина Бродская. Крайне редко они появлялись теперь в эфире. В этот черный список по ошибке был включен Валерий Ободзинский, уж очень подозрительной была его фамилия.

Лапинские репрессии не коснулись Кобзона, возможно, потому, что тот прекрасно пел патриотические и гражданские песни, причем брал их в свой репертуар искренне, не по конъюнктурному расчету.

Прямого запрета от председателя не исходило, никаких приказов подобного рода он не отдавал, вот только из каждой программы центральных передач, которые подавались ему на утверждение, особенно «Голубой огонек», тщательно вычеркивал «криминальные» для него фамилии.

Не стало исключением и радиовещание. Как-то ведавший им в хозяйстве Лапина Орлов позвонил в отдел эстрады музыкальной редакции и высказал взявшей трубку заместителю заведующего Терезе

Рымшевич (кстати, многолетнему редактору знаменитой «Встречи с песней») недовольство по поводу только что прошедшей в эфир одной из передач: «Что это вы даете всяких там Кристалинских, Бродских». И это тоже был не приказ, а «всего лишь» замечание. Голос Кристалинской в эфире радио звучал теперь крайне редко и только в незначительных, «спрятанных» на третьей станции программах. Не стала исключением и передача «С добрым утром!».

Но... иезуитство было еще одной чертой характера Сергея Георгиевича. Он не забывал, тем не менее, поздравлять ту же Кристалинскую с праздниками. Она аккуратно получала скромные, без особых излишеств открыточки в конвертах с короткой подписью – «С. Лапин». На открыточках – поздравления и пожелания здоровья и больших творческих успехов. В последнем телевидение и радио уже не участвовали.

Но вернемся на ТВ. В финальной передаче телефестиваля «Песня-72» должна была звучать новая песня Добронравова и Пахмутовой «Кто отзовется?» о матерях, сыновья которых не вернулись с войны, а петь ее должна была Майя Кристалинская.

Лапин, просмотрев передачу на репетиции – он ее видел на мониторе в своем кабинете, – ничего не сказал по поводу участия Кристалинской. Возможно, неловко было объяснять свое отношение к ней уважаемым им композитору и поэту. И все же песню он снял лишь по одной причине: грустная песня, зачем ей звучать в праздничный вечер 1 января?

Песня и в самом деле была грустной. И все же я не исключаю – это был ловкий ход убрать Кристалинскую. Разве только веселые песни писали советские композиторы? И разве только веселые песни звучали в первый вечер нового года?

Нина Нерсесовна Григорьянц:

«Последняя моя встреча с Майей Кристалинской была грустной. Она пришла в редакцию спросить меня, почему мы перестали ее приглашать. Что я могла ответить? Мы включали ее иногда в дневные передачи по 2-й и 4-й программам, но взять ее в ведущие передачи было невозможно. А ведь исполнителям хотелось именно этого. Участие в них, особенно в "Голубом огоньке" и в "Песне года", было как марка, как знак качества».

3. Гастроли

Гастроли – это жизнь на колесах, а значит – и на чемоданах. Гостиницы бывают и приличные, но чаще попадаются захудалые, в маленьких городках, но и там ей все равно стараются отвести комнату получше, узнают, глядят во все глаза горничные, ахают, при встрече почтительно здороваются. От гастролей никуда не деться, график есть график, да и заработок… Ставка-то очень высока. Но это по стране. За рубежом, конечно, другое дело. Русский язык далеко не везде знают, но на ее концертах залы полны и встречают ее хорошо, а провожают овацией. А в Финляндии был очень трогательный случай. После концерта к ней в артистическую комнату зашли несколько человек и, немного смутившись, сказали что-то по-фински. Она поняла только одно слово, сказанное с сильным акцентом по-русски: «нежность». И они, эти неожиданные гости, вдруг запели по-русски и спели всю песню «Нежность», а Майя слушала, и слезы стояли в глазах. Она готова была расцеловать их, этих милых финнов. А потом выяснилось, что песню они выучили… с пластинки!

Она едет в ГДР, в гарнизоны Группы советских войск в Германии, а оттуда – к нашим солдатам в Венгрию, поет сольные концерты – везде ее ждут и просят не забывать.

В Москонцерте ей объявили: вы, Майя Владимировна, выдвинуты на звание решением худсовета. Не исключено – пока еще об этом рано говорить – станете заслуженной артисткой РСФСР. Это будет нескоро, нужно собрать документы, их немало.

Майя была удивлена – она же ничего не просила, ни к кому не обращалась, ни о каком звании даже не помышляла. Хотя чего там говорить, это было бы неплохо. Удивления было все же больше, чем радости.

Случайно она узнала, что происходило на худсовете, когда ее выдвигали. Никто не был против, кроме одного человека. Человек этот был ей хорошо известен, при встрече улыбался, даже интересовался жизнью, здоровьем. И все так мило, так обходительно. Это была Гелена Марцельевна Великанова. Возможно, там, на худсовете, она вспомнила их совместный концерт десятилетней давности в Театре эстрады, когда успех Великановой, и немалый, был все же несравним с огромным успехом Майи. Этот Майин триумф она не простила – и вот выступила против.

За этот поступок Великанову можно было возненавидеть, но Майя не сделала этого. Ей стало жаль Гелену. Как же та была уязвлена, как же переживала: какая-то выскочка, вчерашний инженер, без году неделя на эстраде – и вот, пожалуйста, оказалась лучшей в концерте! Надо понять Великанову, на ее месте многие бы поступили так...

Но – не Кристалинская.

Нет, ничего не забыла Великанова. И будет еще долго помнить не только «дамский концерт», но и заметку в журнале «Театр», где в этой артистической «гонке» вперед опять вышла Кристалинская. Вот что было написано в этой статье:

«Эстрада – это обширный и очень удобный плацдарм для занятия настоящим искусством, умным, направленным, завлекательным и оригинальным, и было бы странно, если бы талантливые люди не попытались этот плацдарм освоить.

Они и пытаются. Более того, они постепенно одерживают верх. Отбор делает публика, и хотя интеллектуальный уровень на эстрадном концерте все еще ниже, чем на театральном спектакле, он выше, чем был раньше.

Например, ансамбль "Дружба" открыт публикой, а не критикой и не руководителями эстрады. Майя Кристалинская обогнала Нину Дорду и заслуженную артистку Бурятской АССР Гелену Великанову (хотя и они любимы) не по каким-нибудь служебным заслугам, а по решению слушателей.

Наши популярные эстрадные певицы овладели многими приемами, отчасти оригинальными, отчасти заимствованными, но почти всегда существующими отдельно от этих певиц. Оттого уже много лет ни у кого из них не складывается оригинальный, недоступный другим репертуар в отличие, скажем, от Клавдии Шульженко, которая пела "песни Клавдии Шульженко". Ни в чьем другом исполнении эти песни звучать не могут.

Ни Дорда, ни Великанова, ни Бржевская, ни Миансарова не создают на эстраде свой мир, а являются, скорее, экскурсоводами по некоему объективно существующему миру эстрадного пения "как такового". Они взаимозаменяемы. Это позволяет нормально функционировать эстрадной машине-графику, но зритель встречается не с человеком, а с репертуаром или со стилем. "Свой мир" угадывается у Майи Кристалинской, но ей не хватает смелости...»

В любом случае, сколь бы ни были правильными рассуждения критика по поводу «артистической гонки» двух соперниц (на самом деле Кристалинская никогда соперницей Великановой себя не считала), а также превосходства Майи в вышеперечисленной четверке, статья уязвима прежде всего с позиции нравственной: нельзя сталкивать милых и симпатичных да и ставить в неловкое положение пятую – ведь они же ее коллеги, с ними она выступает в одних концертах, ездит на гастроли, живет в одних гостиницах, и вдруг, оказывается, ее критики ставят выше... Да еще кого? Самой Великановой!

А Великанова из тех, кто не прощает нанесенную ей обиду. Нелюбовь Гелены Марцельевны к Майе (слово «ненависть» я употреблять не хочу) стала чувством затяжным и с годами не проходила. Таков уж был у талантливой певицы характер, несовместимый с ее нежным обликом на цене. Спустя почти двадцать пять лет после ее «черного шара» при голосовании на худсовете в интервью «Комсомолке» «Гелену Великанову держали на наркотиках» читаем следующие строки:

«Корреспондент. *А с певицами вашего поколения вы отношения поддерживали, дружили?*

Великанова. С Майей Кристалинской мы жили в одном доме. С Пьехой виделись только на концертах и в жюри. Нет, дружбы не было. Как сейчас, так и тогда были соперничество и ревность. Но я всегда была в стороне. Мне было с ними неинтересно. А им – со мной. Я, например, человек непьющий. Я не люблю мат. Так уж меня мама воспитала. Я их угнетала, а они меня...»

Оставим в стороне мат и зелье. К Кристалинской это никакого отношения не имеет. Рюмка коньяку или водки после концерта или в застолье подчас бывает необходима. Мат – как утверждают знавшие ее – тоже не из лексикона Майи. А вот насчет соперничества и ревности... Зависти к чужим успехам у Майи не было, соперниц локтями не отталкивала. Ей, например, было абсолютно все равно, будет ли она петь в начале концерта или в конце. И если вначале, а таким звездам, как она, положено завершать концерты или быть одной из последних, склок по этому поводу не устраивала, выходила и пела. Может быть, Майя не была лишена честолюбия – за любым артистом оно идет по пятам, такова особенность этой профессии, – но Кристалинская воли этому чувству не давала.

Нельзя о мертвых говорить плохо – это верно. И чернить Гелену Марцельевну я не собираюсь. В том, что она оставила глубокий след в нашем искусстве, сомневаться не приходится.

А звание Майя, как известно, получила. Она стала заслуженной артисткой РСФСР 15 августа 1974 года.

Она и раньше часто ездила по стране, иногда забиралась в ее дальние, медвежьи углы, не отказывалась петь в колхозах, в сельских клубах, ездила, несмотря на недомогание, в любую погоду садилась в машину и неслась за тридевять земель в какой-нибудь районный городишко. Начиная с первых гастролей, она всегда ездила вместе с инструментальным ансамблем. Их руководителями были, как правило, музыканты, с которыми ей работалось легко. В шестидесятых с ней выступал ансамбль Виктора Векштейна, который впоследствии создал одну из лучших рок-групп на нашей эстраде – «Арию», собиравшую стадионы. В восьмидесятых Виктор трагически погиб. После Векштейна Майя Кристалинская работала чуть ли не десять лет – постоянство завидное! – с ансамблем Михаила Гусева, музыканта больших способностей. Он оканчивал Московскую консерваторию по классу фортепиано экстерном и готовился к экзаменам в поездках... В конце семидесятых они расстались (через некоторое время Гусев уехал в США), и на смену ему пришел Константин Купервейс. Известен он был в артистических кругах не только как одаренный пианист, но и как муж Людмилы Гурченко.

А потом на гастроли Майя стала ездить не одна – Мария Борисовна, уходя из Москонцерта, познакомила ее с невысокой моложавой женщиной, Татьяной Григорьевной Райновой, которая как-то сразу приглянулась Майе.

Татьяна Райнова была рада знакомству с Майей и довольна, что будет работать с ней. Райнова была и вокалисткой, и драматической актрисой.

До войны работала в студии Арбузова, в которой знаменитый драматург «прокатывал» свои пьесы. Во время войны вместе со студией ездила по фронтам, а после войны ее присмотрел для своего БДТ Товстоногов, пригласил работать в своем театре, но Райнова отказалась, о чем никогда не жалела. И может быть, не напрасно отказалась, кто знает, как бы сложилась ее жизнь, а так – пришла на конкурс в ВГКО, была принята и стала чтицей. И чтицей неплохой, следовали приглашении работать в разных группах, и даже по части классики: были тогда в моде музыкально-литературные композиции, посвященные композиторам. На долю Татьяны Григорьевны пришлись Бетховен, Шопен, Лист...

И вот теперь предстояло работать с эстрадной певицей.

Их концерты – а они вскоре уехали в первую свою поездку с ансамблем Миши Гусева – начинала Татьяна Григорьевна. Она выходила на сцену и читала небольшой монолог.

«Песня словно эхо. Эхо нашей жизни. Нашей мечты. Доли нашей, надежды и радости. Песня мчится на попутных машинах, на ходу садится в поезда, а ночами, лиловыми ночами больших городов, бродит она по тонким ветвям телевизионных антенн; змеясь, извиваются провода высокого напряжения, серебрятся узенькие головки микрофонов, похрипывают, словно от одышки, выползают на сцену тяжелые динамики. Но в каком бы стереофоническом звучании ни являлась к нам песня, всегда согрета она теплом человеческого голоса.

Голос этой артистки мягкий и доверительный. У него удивительная особенность – звучать для всех вместе и для каждого в отдельности. Мир ее песен так конкретен, что кажется, будто она поет о тебе, твоей нелегкой судьбе. И как бы ни пела Майя Кристалинская, это всегда голос наших дней, с его острым чувством ответственности, доброты, правды, нежности...»

Этот монолог принадлежит перу Николая Николаевича Добронравова.

А потом на сцену выходит Майя Кристалинская. Ансамбль уже ждет ее на сцене.

Несколько лет они ездили вместе. А далее... Татьяна Григорьевна Райнова – человек не только артистический, но еще и дотошный, аккуратный, что не каждому представителю этой братии свойственно. Она начала вести дневник, где с точностью летописца фиксировала все события гастрольной жизни их маленькой бригады. И думается мне, Татьяна Григорьевна вела его потому, что рядом был такой человек, как Майя Кристалинская. Дневник раскрывает перипетии их бытия во время этих нелегких поездок по нашей богом забытой земле.

«С Майей мы сегодня уехали в Тулу. Ездили на 2 концерта, везде холод, на втором была просто улица. Температура – ноль. Первый концерт был в городе Киреевске, я о нем ничего раньше не слышала, все убого, мрачно, холодно. Майя выходила петь в сапогах, дубленке и шапке. Скоро мы должны поехать в Куйбышев, там тоже будет холодно».

На следующий день:

«Сегодня – ужасный день, мы попали в аварию. Чудом остались живы. Случилось это так. Возвращались после второго концерта из Климовска. Климовск – в девяноста километрах от Тулы. И уже въехав в Тулу, поехали в центре по широкой улице. Впереди, слева, на нас мчался "газик" на полной скорости, я все это увидела и была уверена, что "газик" притормозит, и подумала даже, что мы хорошо разминулись, но в это время последовал удар, он пришелся для нас очень удачно, в заднее колесо, поэтому удар самортизировался об резину, но наш маленький автобус от удара занесло, и он на скорости врезался в столб. И здесь опять нам повезло – перед столбом был большой сугроб, который опять сдержал удар. Я все это видела, но уверена была, что мы уже проскочили. Удар пришелся спереди, я обо что-то ударилась и рассадила колено. В первый момент промелькнуло – кажется, живы, но заболело где-то в районе правой почки. Майя упала с сиденья, пролетела и ударилась головой. Вызвали "Скорую" повезли в травмпункт, мне смазали колено, Майе дали бюллетень на три дня. Но я была уверена, что она будет работать ("Майя любила работу, выступала в любом состоянии", – комментирует Татьяна Григорьевна). – Назавтра опять выезд – в два часа».

«Первый концерт был за десять километров, на границе с Рязанской областью. В те дни – сплошные дальние выезды, я считаю, что это унизительно для Кристалинской. Неужели нельзя было сделать один-два концерта в Туле? Или дать выезды за пятнадцать-двадцать километров, а не в день по двести километров. Везде одна пьянь, холодно, грязно, возвращаться ночью – лишний раз подвергать себя опасности попасть в аварию. Вчера отделались легким испугом, могло быть хуже.

На первой площадке в этот день было очень холодно, я лежала и думала – Майя работает на всех, совсем себя не бережет.

Не так ей надо было работать, обязательно отдых – вечером. Здесь, в филармонии, на Кристалинской дали заработать администраторам, они ее разыграли и по два концерта дали каждому, каждый на ней сорвет приличный куш. Приехала в Тулу; вместо того чтобы дать известной артистке концерты в больших клубах, гоняли по двести километров, к тому же выбирают самые отдаленные места. Майя молчит, не протестует. Такой вот человек.

Сегодня поехали за шестьдесят километров, в колхоз. На концерте было двадцать человек. Хотели отменить, но Майя настояла. Потом поехали в сельмаг, продавщицы нет, поехали ее искать, та открыла магазин, а там почти ничего нет. Второй концерт был во Дворце культуры, народу было ползала, извинились за то, что мало людей, Майя отнесла это за счет того, что перед концертом было кино, я считаю, что это не так, будет еще хуже».

«Сегодня проехали сто двадцать километров. Уже, кажется, целая вечность, как мы не дома. Майя задумала поездку на десять дней в Куйбышев, будут вот такие же разъезды и опять сухомятка.

Сегодня у Майи – плохое настроение. Она устала и поэтому капризничала – не так поставили чемодан, дубленку прищемили. Бывает, ей все простительно».

«Сегодня на шестой этаж еле доползли, лифт не работал, обычное дело в гостиницах. Выехали в 2 часа 30 минут и приехали на свой первый концерт в колхоз "Болшево" в 5 часов 45 минут, то есть три с половиной часа в автобусе. А дороги! Лед и ямы. Такая тряска, просто мозги вскакивают. В колхозе было холодно и не было рояля. Я не раздевалась. Пили молоко, взяли с собой. Второй концерт был в поселке Товарково, тоже было холодно, но зато был туалет.

Проехали сегодня сто тридцать в один конец, а во второй – сначала тридцать, потом – еще сто. Публика в Товаркове была хулиганистой».

«Сегодня поехали в колхоз, сначала до Новомосковска – шестьдесят километров, потом до колхоза еще пятьдесят. В клубе холодно. По дороге видели разбитый "Икарус", который столкнулся с грузовиком».

«В филармонии с нас снимали допрос в отношении той аварии, был милиционер и какой-то в штатском. Пришлось заполнить анкеты и написать, что никаких претензий к водителю мы не имеем. Иначе ему грозило три года, а нам – еще приезжать в Тулу по вызову следователя. Оказалось, это был военный "газик", и солдатик заснул за рулем, в дороге он был двадцать часов».

«Выехали из Москвы 8 февраля в Куйбышев в два часа ночи. Очень не хотелось уезжать...»

Я переписал этот дневник, ничего не меняя.

А в Москве продолжалась прерванная гастролями жизнь – с почти ежедневными концертами. Сборные концерты уже отошли в прошлое, они устраивались только по праздникам, в честь каких-нибудь важных событий, теперь же концерты бывали, как правило, сольные. Со временем Майя не считалась, аудитория ее не отпускала, в записках или просто из зала заказывали песни – это было ответом на ее вопрос, обращенный к залу: «Что вам еще спеть?» Она очень уставала, не могла не устать, но не подавала виду и только в машине, опустившись на сиденье, понимала, что больше стоять не в силах.

Передо мной программки ее концертов, маленькие афишки. Они из ее архива, который хранит Майина сестра Анна. Их немного, видимо, Майя не собирала эти листочки, а может быть, не все сохранилось. Но ее певческая московская «география» представлена полно – здесь есть все, чем богата Москва: и Театр эстрады, и государственный Центральный концертный зал, и киноконцертный зал «Октябрь» – вечера песни, открытие сезона, творческий вечер, концерт «Песни Родины моей»... «Признание в любви» С. Туликова и М. Танича, народная песня «Там вдали, за рекой», «Журавленок» А. Пахмутовой и Н. Добронравова, «Студенческая» Я. Френкеля и И. Шаферана... А вот программа творческого вечера: «Горячий снег» А. Пахмутовой и М. Львова, «Неизвестный солдат» А. Пахмутовой и Е. Евтушенко, «В парке у Мамаева кургана» Я. Френкеля и И. Гофф, «Аист» А. Островского и В. Семернина, «Нежность» А. Пахмутовой, С. Гребенникова и Н. Добронравова. И сколько же в каждой программе незнакомых песен и незнакомых имен авторов, композиторов и поэтов!

Майя пела много, жажда петь была велика – и «пела как умела», это из стихов Роберта Рождественского, которые вызвали возражение у некоторых из ее подруг. Что значит: пела как умела? Она умела петь.

А в конце лета семьдесят восьмого года она пела в Киноконцертном зале «Октябрь». Во-первых, там были новые песни Е. Птичкина, О. Фельцмана и авторы пели вместе с ней. Во-вторых, Майя Кристалинская читала стихи О. Берггольц и Р. Рождественского; затем прозвучала мелодекламация «Как хороши, как свежи были розы». Стихи Тургенева, музыка Аренского.

Эту мелодекламацию я слышал в режиссерской комнате на «Радио России», мне ее показывала Вера Андреевна Малышева, дружившая

с Майей с момента ее появления в «Добром утре». Она записала эту мелодекламацию в студии и сделала музыкальное наложение.

Рецензент концерта в «Октябре» о чтении Кристалинской высказался
так: «Можно, наверное, по-разному оценивать Кристалинскую как чти-
цу. Но в этих попытках расширить жанр своих выступлений нельзя не
увидеть ее любви к поэтическому слову, желания владеть им еще лучше»
(Сибирский В. Майя Кристалинская. «Музыкальная жизнь». 1978. № 22).

Я думаю, что оценить чтение Майей Кристалинской можно одно-
значно: оно превосходно. Это чтение драматической актрисы, тонко
чувствующей слово, с отличной дикцией и понимающей смысл того,
что она читает, к тому же музыкальной, что в мелодекламации играет
важнейшую роль. А какие паузы! Как точно выверены!

– Вы работали с Майей, когда делали запись? – спросил я Веру Ан-
дреевну.

– Почти нет. Только маленькие замечания. Майя пришла на запись
готовая. Она с текстом работала долго. Она всегда, и когда писала песни, приходила готовая полностью. Так было и тогда.

4. Уход

Утро начинается с бесконечных звонков, как обычно бывает в квартирах
людей известных, занятых творческим трудом – не важно каким, важно,
что эти люди нужны всем, и телефон с утра может испортить настроение.
Звонят неизвестные люди, именующие себя композиторами или поэтами,
и предлагают новые песни. Это обязательный утренний ассортимент.
Звонят из заводских профкомов, просят выступить в клубе – она дает
телефон Москонцерта, пожалуйста, будьте любезны, звоните туда. Первая
часть звонков начинается около десяти, вторая – немного позже. Это звонки друзей, но это радость. Позвонил Женя Птичкин – приглашает ехать в
круиз, есть такая возможность – по Балтике. А почему бы не поехать – взять
отпуск и махнуть на теплоходе «Эстония». Финляндия, Швеция, Норвегия,
Ирландия, Дания. Правда, Эдик?

И они дают согласие, и они едут – осенью, вчетвером, вместе с какой-
то тургруппой, Женя с Раей, Майя с Эдиком. Все мило, весело – там, где
Эдик, там всегда весело, вот только качка, море немного штормит, качку
Майя как-то перенесла, но было тяжело.

Конечно же, она пела Женины песни, он сам за роялем – на пароходе в зале, в Норвегии – в нашем посольстве, а в Дублине пригласили на студию телевидения, дали двадцать минут. Рассказывали ведущему о себе, потом Майя пела песни Птичкина.

Спела «Сладку ягоду», потом – «Эхо любви».

На следующий день шли по городу, навстречу – священник одного из дублинских храмов, узнал Майю и Женю, видел их вчера по телевизору, и пригласил в храм, на службу. Священник немного говорил по-русски.

Три недели на них смотрела хмурая осенняя Балтика, но больше не штормило. Такого отдыха у Майи никогда в жизни не было, и ей казалось, что она совершенно здорова. Неспешно прогуливаясь по тротуарам и мостовым Стокгольма, Осло, Копенгагена, она не думала, что с ней происходит, не прислушивалась к себе, не ждала скачка температуры. Спасибо Жене и Рае, вот так бы и всегда, и не возвращаться домой. Но нет! Дом – это свое, умирать нужно дома.

А дома все вошло в прежнее русло.

Уже не будет радостного звонка, но будет застолье, вечером они куда-то помчатся – Эдик уже нацелен, приглашение последовало, можно будет немного развеяться, отойти от нахлынувших мыслей.

Началась обычная московская жизнь, и для Майи она, как всегда, была трудовой. Если концерты в Москве, то два в день, а там маячит поездка в Тамбов или Воронеж, где и маленькие городочки есть, а колхозов – не счесть. Если надо, так надо, отказываться заслуженная артистка не имеет права, иначе обвинят в зазнайстве. И будет это, между прочим, несправедливо.

Они едут домой вместе. Эдик садится за руль своей иномарки и мчится по Москве, водитель он первоклассный, профессионал, и Майе всегда доставляло удовольствие ездить с ним. А дома их ждал Мур, приблудный белый королевский пудель, которого они подобрали на улице, собака, имевшая явные музыкальные способности: когда Эдик его просил показать, как поет Майя, он издавал очень нежные звуки, а когда называли Кобзона, звуки становились басовито-густыми.

Майя при всей своей закрытости, заметной при близком общении, которая была следствием ее болезни с изнурительными обострениями, оставалась все же открытой для добра, сохранившей нерастраченную материнскую ласку. Доброта ее была направлена в первую очередь на близких – мать, сестру Аню, которым она помогала, а когда Аня вышла замуж и появилась маленькая Марьяна, Майя не могла не заботиться о ней, постоянно делала ей подарки, из зарубежных поездок привозила кофточки и платьица, а из Германии – красавицу куклу. Марьяна жила с бабушкой в районе Арбата, и дом Майи и Эдика на проспекте Мира стал для нее вторым домом.

Что касается воспитания Марьяны, то оно было двояким: достаточно жесткое со стороны бабушки с ее сильным, властным характером и ласковое, без особой сентиментальности, но с нравоучениями – Майи. Эдик же в частых ссорах Марьяны с бабушкой становился на сторону девочки.

С Марьяной Майя расставалась неохотно, поэтому часто брала ее с собой на концерты, и та из-за кулис видела, как Майя поет; позже, когда она подросла, ей нравились многие Майины песни, но особенно «Для тебя», «Нежность» и «Аист». А однажды Майя взяла ее с собой на гастроли в Грузию. Ездила Марьяна с Майей и Эдиком к морю, в Палангу, куда те отправились отдыхать.

Майя дала девочке ту радость детства, которую была способна дать, приглушив в себе боль, мучившую ее из-за невозможности иметь детей.

Она вышла из больницы после очередного обострения подавленной – через год ей пятьдесят. Ей казалось, что голос стал звучать хуже, хотя никто ей об этом не говорил, наоборот, отправили в зарубежную поездку – по ГДР и Венгрии, в наши воинские части, вместе с поэтом Борисом Дубровиным, милым, интеллигентным человеком, ветераном войны. Дубровин был на всех Майиных концертах в гарнизонных клубах, он и написал в этой поездке уже упомянутые стихи «Девочка» – о Майе и еще стихи – о ее концерте в Будапеште.

И плывет, спокойная, чуть слышно,
Ни тоски, ни счастья не тая,
Звукопись Отчизны победившей –
Летопись мгновений бытия.
И знакомой песни исполненье исповедью
Исподволь влечет.
И певица – точно в озаренье,
И в движеньях собранных – полет.

О былой войне напоминая –
О дыханье счастья и невзгод.
Возвращая выстраданность Мая,
Майя Кристалинская поет.

И все же петь она стала немного меньше, болезнь и возраст изменили ее, она пополнела, лицо заметно округлилось, но когда улыбалась – на щеках появлялись те же ямочки. Она все та же Майя, только теперь уже Майя Владимировна, но это для молодежи, а для своих, для сверстников, – Майя, Майечка, Майюшка. И на ее концертах по-прежнему аншлаги, и поклонники с поклонницами не перевелись, и звонки реже не стали.

Майя была не просто умницей, как о ней сейчас говорят, она была еще и человеком большой эрудиции, хорошо разбиралась в живописи, на премьерах в театрах бывала потому, что безгранично театр любила, читала книги по архитектуре, не только благодаря Эдику, знала музыку, причем классическую, интересовали ее проблемы психологии. Что касается знания русских писателей, то об этом и говорить не приходится, так литературу знали только специалисты.

Любила Майя и кино. Самой любимой актрисой для нее была Марлен Дитрих. И когда свободного времени у. нее стало побольше, зачастила в «Иллюзион» на Котельнической. И в первую очередь – на фильмы с Марлен Дитрих.

Я не знаю, как в руках у Майи оказалась книга Дитрих «Размышления» на немецком языке, да это и не столь важно. Важно другое – эстрадная певица решила сделать перевод. Лично, сама, без посторонней помощи. Немецким языком она когда-то занималась усердно, в школе и институте, склонность к языкам имела, оставалось только сесть за немецкий, освежить его в памяти.

Был заключен договор с издательством «Искусство» – Майя не переводчик, она певица, но издательство пошло на эксперимент и готово было помочь начинающему переводчику с фамилией Кристалинская.

Работа началась.

Но… Майя связалась с самой Дитрих, живущей в Париже, сообщила ей о своей работе, надеясь получить одобрение. Однако Марлен ответила, что может разрешить перевод только в том случае, если переводчица сверит его с вариантом на английском языке, на котором была написана книга.

И Майя, работая над переводом, попросила помочь ей свою приятельницу Екатерину Ярцеву, преподавателя английского языка в спецшколе и переводчицу, которая работала с различными иностранными делегациями. После того как Майя перевела книгу – объем ее не столь уж велик, в русском переводе 220 страниц, но работала Майя долго и тщательно, – пошла сверка. Она продолжалась три месяца. Книга сверялась по абзацам. Английский и немецкий варианты оказались сходными. Издательство рукопись приняло, затем началось ее редактирование. Этим занимался прекрасный знаток английского языка Александр Дорошевич. С его помощью книга увидела свет.

Эта книга сейчас стала раритетом. Вышла она уже после кончины Майи. Я привожу здесь предисловие к книге, написанное Кристалинской.

«Перед вами "Размышления" Марлен Дитрих. Это своего рода исповедь о жизни, творчестве – словом, встреча с необычайно интересным собеседником, беспредельно талантливым человеком, блистательной актрисой, "звездой", навсегда вошедшей исполнением целого ряда знаменательных ролей в историю мирового кинематографа.

Поскольку это одна из моих первых работ в области перевода, мне хотелось бы объяснить, почему именно я, артистка, певица, вдруг решилась взяться за нетрадиционную для себя литературную работу. Когда я впервые прочитала "Размышления" Марлен Дитрих, мне захотелось, чтобы наш читатель, наш "самый добрый зритель" познакомился с ними.

Кто же такая Марлен Дитрих? Кому не известно это имя? Оно известно многим, очень многим. Интерес к ней до сих пор чрезвычайно велик. В 1981 году мировая общественность отметила ее восьмидесятилетие.

Марлен Дитрих! Для одних это прекрасная киноактриса, создавшая свой "миф", свою "легенду". Для других – певица, отважившаяся в возрасте пятидесяти трех лет уйти из мира кино в мир эстрады. Марлен Дитрих антифашистка, ненавидящая нацизм, войну и несправедливость.

У Марлен Дитрих особое отношение к советской России. Она сама говорит, что у нее "русская душа". С каким восторгом рассказывает она о Святославе Рихтере, называя его "великим пианистом"! Как позднее открытие для себя считает она знакомство с творчеством Константина Паустовского, а затем и встречу с замечательным писателем, лирико-романтическая стихия творчества которого удивительно близка ее духу.

Встречи, встречи, встречи... Их в ее жизни было множество. Это писатели Эрнест Хемингуэй и Ремарк, крупнейшие ученые с мировым именем Александр Флеминг и Майкл Де Бекки, актеры, режиссеры: Чаплин, Габен, Пиаф, Трейси, Уэллс, Крамер. Всех перечислить невозможно. Однако всем нашлось место в книге и сердце Марлен Дитрих. До сих пор ее называют "неувядаемой Марлен".

Я думаю, что содержание этой книги, книги трогательной, искренней, сердечной, трепетной, полной радости и гнева, тоски, восторга и печали, никого не может оставить равнодушным. Воспоминания-размышления Марлен Дитрих – не просто увлекательное чтение, они открывают перед нами мир прекрасного, тонкого, мужественного человека – нашего друга Марлен Дитрих».

Когда Марлен Дитрих узнала о выходе книги, она откликнулась благодарственной телеграммой. Но благодарить она могла теперь только издательство...

Она только приступила к этой работе, сев за немецкий, концертов становилось все меньше и меньше, и ничего хорошего от этого ожидать не приходилось. Чувствовала она себя не лучшим образом, как вдруг все словно остановилось вокруг нее и сама она оцепенела, замерла – внезапно умер Эдик.

Они собирались уезжать на курорт, собраны были чемоданы, а вечером – застолье в честь отъезда. Был какой-то спор с одним из гостей, Эдуард Максимович погорячился, но ничего, все закончилось мирно.

Утром в шесть часов он разбудил Майю – попросил вызвать «Скорую», ему плохо. «Скорая» приехала, Барклаю сделали укол, после чего он потерял сознание. На носилках его понесли в машину, но носилки в лифт не прошли, и тогда Барклая посадили на стул. Он был по-прежнему без сознания. В течение пяти дней он находился в реанимации. Все оказалось бесполезно. Не приходя в сознание, Эдуард Максимович Барклай скончался.

19 июня 1984 года были похороны Барклая. В ЦДРИ состоялась гражданская панихида. Было много речей, цветов и желающих проститься. Эдика в Москве знали...

А через день Майя снова пришла в ЦДРИ. И снова на панихиду. Хоронили Клавдию Ивановну Шульженко. Проститься с ней пришло значительно меньше народа, чем ожидалось. Возможно, о ней стали забывать. Клавдии Ивановне шел девятый десяток. Уход в прошлое в этом возрасте наступает значительно раньше, чем уход из жизни.

Но однажды после похорон Эдуарда Максимовича в дом Майи вошел... Эдик. Однако волшебства никакого не произошло. Это был сын Барклая – Борис. Увидев его, Майя вздрогнула – как он был похож на своего отца! В первые дни после похорон он старался не разлучаться с Майей. Вечерами они ужинали в московских ресторанах, и, к удивлению Майи, Боря заказывал те же самые блюда, что и отец. Майя плакала.

Как оказалось – и Майя вскоре поняла это, – многое сын унаследовал от своего отца: и доброту, и трудолюбие, и широту интересов, и даже любовь к классической музыке, что неудивительно. В течение 20 лет он жил в Австрии, в Вене, любил музыку Моцарта, Бетховена и Шуберта, ездил в Зальцбург на музыкальные фестивали. К искусству труд младшего Барклая никакого отношения не имел, его любимое занятие – проектирование и архитектура всевозможных зданий и сооружений, говоря строительным языком, а также архитектура парков – и все же искусство живет в нем и по сей день: Борис – художник-живописец, пишет маслом и отдает этой своей работе много сил и времени, наравне с основной работой.

О своем отце Борис говорил с волнением, за которым угадывается большая к нему любовь. А как же можно иначе говорить о таком человеке, как Эдуард Максимович – ярком – слово Бориса, харизматическом – тоже слово Бориса, ответственно относящемся к близким – и это тоже его слова.

Был в числе друзей Майи и Эдика человек, который, можно сказать по наследству, стал и другом Бориса. Это был Чермен Касаев, с которым у отца Бориса были отношения, построенные на любви друг к другу, а значит, крепкой мужской дружбы. Чермен, или, как его называли Майя и Эдик, Чара, бывал в их доме ежедневно. Заместитель заведующего отделом эстрады Всесоюзного радио Касаев вскоре стал заведующим подобным отделом в музыкальной редакции Центрального телевидения в Останкино. Это был высококлассный руководитель и редактор, и я бы назвал его продюсером многих талантливых певцов-новичков и молодых композиторов. Среди них в свое время была и Кристалинская – и пользовалась она особым расположением Касаева благодаря своей одаренности. Да ведь и Таривердиев, с которым Майя начала свой путь к вершинам эстрадного искусства, стал ее первым композитором благодаря Касаеву. В отделе шутили – «до всех Касаев».

Путь для записи в новой студии хорошей песни всегда был открыт для Майи. Вкус у нее был отменным, плохих песен она не пела, а тем более не записывала. Композиторы с первых дней ее появления в эстраде одаривали Майю новыми песнями, качество их было высоким – все это с легкой руки и глубокой песенной эрудиции Чермена Владимировича Касаева.

Жизнь же Майи, оставшейся в одиночестве после кончины мужа, стала нелегкой. Женщина, да еще и певица с такой популярностью, не должна оставаться одинокой, считали друзья.

Вот и предложил кто-то подобрать ей генерала в супруги. «Зачем мне генерал? – рассмеялась Майя, услышав это предложение. – Ведь у меня был маршал!» Она была еще и остроумной, Майя Кристалинская.

Постепенно Майя приходила в себя. Но ровно настолько, чтобы как-то жить, вернее – существовать. Концертов было мало. Выручала Марлен Дитрих, Майя продолжила работу, но она шла медленно. Когда в переводе ей встречались трудности, с которыми она не могла справиться, обращалась к дочери Татьяны Райновой – переводчице с немецкого.

Однажды позвонили со Студии грамзаписи и предложили записать пластинку. Майя сразу же согласилась. Запись может быть последней в жизни, подумала она, но тут же поставила условие: звукорежиссером должен быть Бабушкин, который работает теперь на «Мосфильме». В студии согласились. С Бабушкиным они не виделись много лет и, встретившись на студии, обнялись и расцеловались. Пластинку писали несколько дней. Майя пела песни о любви, старые и новые – «Поговорим» Г. Мовсесяна и И. Шаферана, «Если вам ночью не спится» А. Островского и С. Михалкова, «Лето кончилось» В. Зубкова и Н. Кондаковой. Борис Саввич Дубровин дал ей для этой записи оригинальную песню: казалось бы, новая песня, но… На французское танго «Дождь идет», известное еще с довоенных времен, старый поэт написал стихи, и получилась очень грустная песня:

> *Дождь стучит по крышам,*
> *Я его не слышу,*
> *Я его не вижу,*
> *Я вся для тебя…*

В пластинку также включили широко известную в исполнении Вахтанга Кикабидзе песню Георгия Мовсесяна «Родимая земля». Майе давно хотелось спеть эту песню, но только без одного куплета:

Родимая земля, достоинство мое,
Вся жизнь моя не меньше и не больше,
Она всегда во мне, а я уйду в нее
Когда-нибудь, хотелось бы попозже...

Она сказала об этом Мовсесяну. Тот воспротивился, однако автор стихов Роберт Рождественский не возражал. Он понимал, почему Майя не хочет петь этот куплет.

И Майя записала песню без него.
Пластинку Майя назвала «Мы с тобой случайно в жизни встретились».

Нет Эдика. Жизнь стала невзрачной, в каких-то серых тонах. Майя не скрывала своей опустошенности от близких. На дне рождения Касаева, стоя на кухне с Кобзоном, Майя сказала горько: «После того как ушел Эдик, мне стало неинтересно жить». Эту фразу она потом не раз повторяла и другим своим друзьям.

Нет Эдика. Человека, который помогал ей жить, не оставаясь наедине с болезнью. Она плакала, когда он заставлял ее принимать лекарства, кричал на нее, но подчинялась. Плакала, но принимала...

А состояние все ухудшалось. Она попросила Татьяну Григорьевну получить ее зарплату в Москонцерте. Денег у нее совсем не было. Татьяна Григорьевна пошла в бухгалтерию. Там посчитали всего за четыре концерта, это же копейки. Райнова отправилась в местком. Там помогли: «Мы рассчитаем как среднюю зарплату». Получилась солидная сумма, и Райнова принесла ее Майе. Нет Эдика...

В начале 1985 года Майя встретила на улице женщину-врача, которая когда-то работала у Кассирского. Врач предложила Майе лечь в ее клинику, и Майя согласилась. В клинике ей сделали облучение, вскоре у нее ухудшилась речь, плохо стали двигаться правая нога и рука.

Вспоминает Иосиф Кобзон: «Как-то мы встретились после кончины Эдика Барклая на дне рождения у Чермена Касаева, и я понял, что она от нас уходит. Она тихо, скромно подошла ко мне, я увидел ее исколотые руки, они не держались. Потом я настоял, чтобы она выступила на авторском вечере Льва Ошанина в Колонном зале, вместе со мной она исполнила песню "Я тебя подожду" из нашего "Дворового цикла". Это было наше последнее свидание с ней на сцене. Вскоре она слегла, я к ней приехал в больницу. Жутко, конечно, было смотреть на нее. Она очень хотела надписать мне свою новую пластинку, которая только вышла, но ей это было трудно. Я сказал: "Майюшка, ну чего ты мучаешься, вот поправишься, встанешь и надпишешь. Я в тебя верю: вся страна тебя ждет". Она заплакала и только сказала: "Нет, Иосиф".

Я потом вышел за дверь и сам расплакался...»

Ближе к весне из клиники ее выписали, дома навещали друзья, она дарила каждому недавно вышедшую пластинку, с трудом делая на ней дарственную надпись: писала правой рукой, помогая себе левой. С ней постоянно находились Мария Борисовна и сестра Аня. В конце мая Мария Борисовна на две недели уехала из Москвы – ей предложили отдохнуть, впервые за несколько лет, и Муся оставила Майю на попечение Татьяны Райновой...

Прошло всего несколько дней после отъезда Марии Борисовны, как Майя лишилась речи. Она могла еще звонить по телефону, но уже не говорила и только плакала в трубку.

Так прошла еще одна неделя. Мария Борисовна, вернувшись, немедленно уложила Майю в Боткинскую больницу. Врач, осмотрев Кристалинскую, отправил ее в реанимационное отделение. Она пролежала там без сознания несколько дней.

19 июня Майи Кристалинской не стало... В этот день год назад хоронили Эдуарда Барклая.

Академик Андрей Иванович Воробьев, главный гематолог России, директор Института гематологии Академии медицинских наук, помнил эти дни, словно не было прошедших с того времени десятилетий.

«Я с ней встретился примерно через год после того, как закончил лечение Иосиф Абрамович, его в живых уже не было. Это было в семьдесят первом – семьдесят втором годах. У нее поднялась температура и были обнаружены увеличенные лимфатические узлы в нижней половине тела, и по поводу этих узлов проводилось лечение. Но общая ситуация резко изменилась – опухолевая ситуация, потому что, когда опухоль начинает повторный рост, прогноз резко меняется в худшую сторону. Мы проводили химиотерапевтическое лечение противоопухолевыми препаратами. Майя переносила лечение плохо, и вообще эти препараты тяжелы, они вызывают тошноту, рвоту, вызывают изменение настроения, усиливают депрессию, которая у нее была и раньше.

Поэтому она вообще отказывалась от проведения курса. Потом наступало обострение, и она соглашалась на проведение курса. К сожалению, лечение не способствовало полной ликвидации процесса. Так бывает, когда лечатся не по программе, не в полном объеме. Наступает обострение опухолевого процесса, и он становится неуправляемым. Вот и все. Поэтому, к сожалению, через несколько лет появились метастазы в других органах, и терапия стала неэффективной. Я не хочу останавливаться на деталях, не нужно их обсуждать, но фактология в общем такова, как я ее рассказал. Обвинять Майю в том, что она была недисциплинированна в лечении, я бы не стал, сам факт обострения после примерно десяти лет перерыва опухолевого роста уже делает прогноз очень и очень сомнительным.

– А почему был десятилетний перерыв?

– Потому что ее лечил Кассирский. Но в то время, когда он ее лечил, радикальных способов лечения мы еще не знали. Он очень хорошо ей помог, но вылечивать мы начали существенно позже, надежно вылечивать. Восемьдесят процентов подобных больных теперь выздоравливают, но тогда, когда лечил Кассирский, этих программ лечения еще не существовало.

– Значит, лечение было бесполезно?

– Ничего бесполезного не бывает. Даже когда наступает обострение и ты знаешь, что конечный прогноз нехорош, то лечение ведь дает резкое улучшение. У Майи повторно наступали длительные улучшения, она выступала на эстраде, пела, поэтому именно благодаря лечению она получила отсрочку гибели суммарно лет на двадцать – двадцать пять, уже в мое время, когда мне приходилось ее лечить, речь идет о долгом сроке лечения, многолетнем...»

...Она лежала в гробу в маленьком Каминном зале ЦДРИ, почти не изменившись, лицо оставалось спокойным, и не было косынки вокруг шеи. Она теперь Майе не нужна...

Люди шли и шли в этот зал. Останавливались, неотрывно глядя на нее...

Так бывает, когда прощаются с дорогим человеком. Так будет и впредь.

А потом распахнулись двери, солнце ворвалось в полутемный вестибюль и остановилось, гроб медленно выплыл из вестибюля и исчез, будто растворился в солнечном мареве.

Улица была запружена оцепеневшими в эти мгновения людьми.

Остановились машины...

Через два года на Центральном телевидении появилась передача, посвященная памяти Майи Кристалинской, – «Эхом нашей юности была». Режиссер Галина Колесник собрала все, что можно было собрать в телеархиве.

Этой передачей советское телевидение попросило у Кристалинской прощения за столь долгое молчание.

Майя снова улыбалась и грустила на экране.

*Майю похоронили
на Донском кладбище.
На мраморной стеле надпись:
«Ты не ушла,
Ты просто вышла,
Вернешься и опять споешь...»*

Это произошло в тот год, когда ветром перемен смело из кресла председателя Гостелерадио Сергея Лапина, пожалуй, недруга № 1 Кристалинской. Эта передача прервала «заговор молчания» и стала первой среди тех, которыми телевидение затем украшало свой эфир. Едва ли не каждый канал стремился доказать свою любовь и почитание уникальной певице, которая в 1960–1970-х годах была одной из самых крупных звезд на нашей эстраде. Облик эстрады изменился. Она стала раскованной, звонкой и наполнилась новыми молодыми именами.

Но продолжали звучать песни Кристалинской, и образ Майи по-прежнему близок нам. У нее своя незабываемая улыбка, свои боль и нежность. Не случайно одна из посвященных ей передач называлась «Нежность».

Моя первая книга о Майе вышла в самом конце 1990-х. В тот же самый день по чистой случайности в Большом зале ЦДРИ состоялся вечер памяти Кристалинской. Зал был переполнен, люди толпились в проходе, сидели в фойе, где стояли стулья в несколько рядов. Песни Майи исполняли ее друзья. На сцене стоял большой ее портрет. Вдруг у кого-то в руках появилась моя книга и к ней потянулись руки...

Я был счастлив.

ДИСКОГРАФИЯ МАЙИ КРИСТАЛИНСКОЙ

ГРАМПЛАСТИНКИ

1963   – «Люблю тебя» (Б. Терентьев – В. Винников, В. Крахт)
    «Отчего» (Б. Терентьев – В. Крахт)
    «Заря» (Ю. Саульский – Ю. Цейтлин)
    «Новогодняя песня» (Е. Птичкин – Л. Куксо)

1964   – МЕЛОДИИ ЭКРАНА
    «Позови меня» (А. Зацепин)
    «Не рассказывай никому» (А. Норченко – Г. Регистан)
    «Зимняя песенка» (А. Норченко – В. Фельдман)
    «Если вам ночью не спится» (А. Островский – С. Михалков)
    «Песенка Люси» (Э. Колмановский – Л. Ошанин)
    «Летят стрижи» (А. Островский – Л. Ошанин)
    «Текстильный городок» (Я. Френкель – М. Танич)
    Трио из оперетты «Сто чертей и одна девушка « (Т. Хренников – Е. Шатуновский)
    Присядем, друзья, перед дальней дорогой» (М. Блантер – В. Дыховичный,
    Г. Пономарёв). М. Кристалинская и Г. Пономарёв

1965   – «На кургане» (А. Петров – Ю. Друнина)
    «Сны» (А. Флярковский – Р. Рождественский)
    «Ивушка» (С. Пожлаков – С. Голиков)
    «Топ-топ» (С. Пожлаков – А. Ольгин)

    – СТИХИ И ПЕСНИ
    «Таёжный вальс» (Э. Колмановский – Л. Ошанин)
    «Я тебя подожду» (А. Островский – Л. Ошанин)

1966   – Песни А. Островского
    «Возможно» (А. Островский – И. Шаферан)
    «Возможно» (А. Островский – И. Шаферан)
    «Вальс о вальсе» (Э. Колмановский – Е. Евтушенко)
    «Еду я» (А. Эшпай – Л. Дербенёв, В. Комов, М. Пляцковский)
    «На причале» (В. Гевиксман – Б. Окуджава)
    «Ты не печалься» (М. Таривердиев – Н. Добронравов)
    «Не спеши» (А. Бабаджанян – Е. Евтушенко)
    «Садовое кольцо» (М. Таривердиев – Н. Добронравов, С. Гребенников)
    «Ночные вокзалы» (М. Фрадкин – Е. Долматовский)
    «Килиманджаро» (А. Островский – В. Громов, Ф. Данилович)
    «Листья клёнов» (Ю. Акулов – Л. Шишко)

1967 – «Детство ушло вдаль» (А. Островский – Л. Ошанин)
«Нежность» (А. Пахмутова – С. Гребенников, Н. Добронравов)
«Неужели это мне одной» (Г. Портнов – Ю. Принцев)
«Аист» (А. Островский – В. Семернин)
«Не знаю тебя» (Э. Рознер – М. Пляцковский)
«Аист» (А. Островский – В. Семернин)
«Три товарища» (Ю. Левитин – Б. Ахмадулина)
«Детство ушло вдаль» (А. Островский – Л. Ошанин)
«Ты сладких слов не говори» (Б. Терентьев – В. Харитонов)
«Как знать» (Э. Колмановский – И. Гофф)
«Дочурка» (Б. Терентьев – В. Харитонов)

1968 – «Не зажигай огня» (Е. Жарковский – А. Поперечный)
«Телефонный звонок» (Ю. Акулов – Л. Шишко)
«Не было печали» (О. Фельцман – И. Шаферан)
«Мамина осень» (Ю. Акулов – Н. Малышев)
«Видно, так устроен свет» (Д. Тухманов – М. Пляцковский)

   – ПЕСНИ А. ОСТРОВСКОГО
Лунный камень» (А. Островский – И. Кашежева)
«Дожди» (А. Островский – И. Кашежева)
«Доверчивая песня» (А. Островский – Л. Ошанин)
«Я тебя подожду» (А. Островский – Л. Ошанин)
«Детство ушло вдаль» (А. Островский – Л. Ошанин)
«Круги на воде» (А. Островский – И. Кашежева)
«Аист» (А. Островский – В. Семернин)
«Возможно» (А. Островский – И. Шаферан)

1969 – ПЕСНИ К. АКИМОВА НА СТИХИ К. ФИЛИППОВОЙ
«А я – такая»
«Просто очень люблю»
«Ромашка»
«Песенка о счастье»

   – ВСЕМ, КТО ЛЮБИТ ПЕСНЮ
«Белые сны» (С. Заславский – М. Плицковский)
«А я – такая» (М. Акимов – К. Филиппова)

1970 – «Русь» (А. Пахмутова – С. Гребенников, Н. Добронравов)
«Не спеши» (А. Бабаджанян – Е. Евтушенко)
«Всё потому» (П. Аедоницкий – И. Шаферан)
«Колыбельная» (С. Пожлаков – Л. Лучкин)
«Доверчивая песня» (А. Островский – Л. Ошанин)
«Круги на воде» (А. Островский – И. Кашежева)
«Только любовь права» (А. Бабаджанян – Н. Добронравов)
«Дожди» (А. Островский – И. Кашежева)
«Возможно» (А. Островский – И. Шаферан)

«В нашем городе дождь» (Э. Колмановский – Е. Евтушенко)
«Листья клнов» (Ю. Акулов – Л. Шишко)
«Я знаю тебя» (Э. Рознер – М. Пляцковский)
«И если ты любить устал» (С. Туликов – Р. Рождественский)
«Всё потому» (П. Аедоницкий – И. Шаферан)

1971 – «Ненаглядный мой» (А. Пахмутова – Р. Казакова)
«Женщины» (Л. Лядова – В. Лазарев)
«Ветер северный» (Я. Френкель – И. Гофф)
«Зачем мы перешли на "ты"» (Б. Окуджава – А. Осецка, перевод Б. Окуджавы)
«Просто очень люблю» (К. Акимов – К. Филиппова)
«Нежность» (А. Пахмутова – С. Гребенников, Н. Добронравов)
«Русь» (А. Пахмутова – Н. Добронравов)
«Сидят в обнимку ветераны» (А. Пахмутова – М. Львов)
«Какая песня без баяна» (музыка и слова О. Анофриева)
«Ходите чаще в гости к старикам» (А. Изотов – С. Гершанова)
«Листопад» (С. Туликов – В. Лазарев)
«Колыбельная» (Э. Колмановский – К. Кулиев, Н. Гребнев)

1985 – МЫ С ТОБОЙ СЛУЧАЙНО В ЖИЗНИ ВСТРЕТИЛИСЬ
«Дождь идёт» (Э. Оливье – В. Дубровин)
«Возможно» (А. Островский – И. Шаферан)
«Знакомый мотив» (С. Мелик – Ю. Гарин)
«Родимая земля» (Г. Мовсесян – Р. Рождественский)
«Ретро» (В. Мильман – Б. Шифрин)
«Поговорим» (Г. Мовсесян – И. Шаферан)
«Лето кончилось» (В. Зубков – Н. Кондакова)
«Женский возраст» (В. Хорощанский – Б. Шифрин)
«Если вам ночью не спится» (А. Островский – С. Михалков)
«Мы с тобой случайно в жизни встретились» (Е. Рохлин – И. Финк)

1987 – ПОПУЛЯРНЫЕ ПЕСНИ 50-х ГОДОВ
«Два берега» (А. Эшпай – Г. Поженян)
«А снег идёт» (А. Эшпай – Е. Евтушенко)

УКАЗАТЕЛЬ ИМЕН

В указатель не внесены общеизвестные имена, а также фамилии, сведения о которых проясняются в самом тексте.

Ошанин Лев Иванович (1912–1996) – поэт. Лауреат Сталинской премии.

Пахмутова Александра Николаевна (р. 1929) – композитор, в основном известна как автор песен. Большинство песен написано на стихи Н. Добронравова. Лауреат двух Государственных премий.

Подошьян Ирина Аванесовна (р. 1932) – эстрадная певица.

Птичкин Евгений Николаевич (1930–1993) – композитор. Народный артист СССР.

Рождественский (Петкевич) Роберт Иванович (Станиславович) (1932–1996) – поэт. Лауреат Государственной премии СССР.

Рознер Эдди (Адольф) Игнатьевич (1910–1976) – джазмен, трубач, дирижер, руководитель оркестра. Родился в Германии, после прихода нацистов к власти эмигрировал в Польшу, затем в СССР. В 1946–1954 гг. репрессирован, находился в лагере. В 1973 г. выехал в Западный Берлин.

Саульский Юрий Сергеевич (1928–2003) – композитор, дирижер. Работал в оркестре Эдди Рознера. Народный артист РСФСР.

Таривердиев Микаэл Леонович (1931–1996) – композитор. Народный артист РСФСР.

Фурцева Екатерина Алексеевна (1910–1974) – советский партийный и государственный деятель. В 1960–1974 гг. – министр культуры СССР.

Цфасман Александр Наумович (1906–1971) – пианист, композитор, руководитель джаз-оркестра. Заслуженный артист РСФСР.

Чохели Гюли (Гюлли) Николаевна (р. 1935) – эстрадная певица. Народная артистка Грузинской ССР.

Шульженко Клавдия Ивановна (1906–1984) – эстрадная певица. Народная артистка СССР.

Яковлев Александр Сергеевич (1906–1989) – авиаконструктор, генерал-полковник авиации. Был заместителем министра авиастроения, референтом Сталина по вопросам, связанным с авиацией. С 1956 по 1984 г. – генеральный конструктор ОКБ им. Яковлева, лауреат Ленинской, Государственной и шести Сталинских премий.

СОДЕРЖАНИЕ

Серии «ИМЕНА» и «РУССКИЕ ШАНСОНЬЕ»

Имеются в продаже следующие книги:

Книги с компакт-дисками в подарок

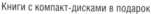

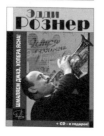

16+

Литературно-художественное издание

Анисим Абрамович Гиммерверт

МАЙЯ КРИСТАЛИНСКАЯ: ПЕСНИ, ДРУЗЬЯ И НЕДРУГИ

«И всё сбылось, и не сбылось...»

Редакторы	*Яков Гройсман,*
	Наталья Резанова
Художник	*Вячеслав Петрухин*
Компьютерная верстка	*Светлана Сорувка*
Корректор	*Лев Зелексон*
Ответственная за выпуск	*Ольга Червонная*

*Издательство выражает благодарность А. В. Смириной, заведующей музеем
Музыкального театра имени К. С. Станиславского
и В. И. Немировича-Данченко за предоставленные фотографии.
В книге также использованы фотографии из архивов А. Гиммерверта,
Е. Лобачевой, А. Смирнитской, В. Котелкиной,
родственников и друзей М. Кристалинской, издательства ДЕКОМ.
Фамилии авторов фотографий владельцам архивов и издательству неизвестны.*

Подписано в печать 8.10.2013.
Формат 60 x 84/16. Гарнитура «Гарамонд». Печать офсетная.
Бумага офсетная и мелованная.
Физ. печ. 14 л. Тираж 1200 экз. Заказ № К-11904.

Издательство ДЕКОМ, 603155 Нижний Новгород,
ул. Большая Печерская, 28/7,
тел. (831) 4-111-181.
E-mail: izdat@dekom.nnov.ru   http://www.dekom-nn.ru

Отпечатано в ГУП Чувашской Республики «ИПК «Чувашия»
Мининформполитики Чувашии.
428019, г. Чебоксары, пр. И. Яковлева, 13.

Центр музыкально-просветительской деятельности «Аккорд» поддерживает самые разные проекты в области музыкального искусства, в том числе Международного конкурса юных пианистов имени Шопена и конкурса «Баян и баянисты», организованные Российской академией музыки имени Гнесиных, и участвует в их подготовке.

Центр устраивает концерты-встречи с деятелями музыкального искусства России и зарубежья, а также с известными творческими коллективами. В Музее музыкальной культуры имени Глинки «Аккорд» проводит свой абонемент в нескольких циклах, в которых звучат произведения классики, народной и джазовой музыки.

В московский салон музыкальных инструментов «Аккорд» на Нижней Масловке приходят не только любители, но и профессиональные музыканты. Инструменты, предлагаемые «Аккордом», всегда отличаются высоким качеством, они изготовлены лучшими мастерами России, фирмами Европы и Америки. Именно салон стал инициатором создания центра «Аккорд». Сегодня, как и в прежние годы, здесь проходят не только многочисленные концерты-встречи, но и мастер-классы по классической и джазовой гитаре, семинары для педагогов музыкальных школ Москвы и других городов.
Много лет каждый, кто приходит в салон, получает в подарок распространяемый бесплатно ярко иллюстрированый журнал «Аккорд», который поднимает проблемы, связанные с музыкальным искусством, публикует материалы об известных музыкантах.

С. Сперанский,
заслуженный работник культуры России,
кавалер почетного ордена «Заслуженный деятель польской культуры»